감정사/검량사 면접시험특강[24년대비]

감정사,검량사,검수사연구회 Cafe

감정사/검량사 면접시험 특강[24년대비]

발 행 | 2023년 12월 7일

저 자 | 김한규 **감수·편집** | 릴리(22년 감정사 면접시험 92.5점 기록자)

펴낸이 | 한건희

펴낸곳 | 주식회사 부크크

출판사등록 | 2014.07.15.(제2014-16호)

주 소 | 서울특별시 금천구 가산디지털1로 119 SK트윈타워 A동 305호

전 화 | 1670-8316

이메일 | info@bookk.co.kr

ISBN | 979-11-410-5785-5

www.bookk.co.kr

목 차

면접시험 절차와 방법 ········· 1

제1장. 기초단위와 검량법 ········· 11

제2장. 하역서류와 무역거래조건 ········· 29

제3장. 해상보험과 해상법 ········· 65

제4장. 선박의 종류와 구조 ········· 85

제5장. 적화계획 ········· 103

제6장. 흘수감정과 선박의 복원성 ········· 121

제7장. 컨테이너 운송 ········· 143

제8장. SOLAS와 위험물 ········· 163

제9장. 하역장치와 하역설비 ········· 173

제10장. 해양오염방제와 피해보상 ········· 183

면접시험 절차와 방법

면접시험(2차)은 1차시험과 달리 기출문제가 공개되지 않습니다.
본 교재에 수록된 기출문제는 수험생들의 인터뷰를 바탕으로 한 것이고
예상문제는 출제 가능한 내용들을 심층 분석하여 정리한 것입니다.

1. 면접시험 출제범위

○ 감정사와 검량사의 면접시험 출제범위는 광범위 하다.

☞ 면접시험의 출제범위는 "필기시험과목의 이론지식, 실무지식 및 이론과 실무의 응용능력"이라 정하고 있어 결코 쉽지만은 않은 시험이다. 많은 문제를 물어보는 것도 아니라서 과도한 긴장으로 인해 답변을 잘 못하거나 정확히 알고 있지 않아 핵심을 생략한 답변으로 불합격될 수 있다. 1차 시험부터 중요한 내용은 객관식으로만 끝내지 말고 주관식화 하여 답변을 미리 준비해 가는 것이 중요하다.

○ 면접시험 문제는 지역별, 시간대별로 다르게 출제된다.

☞ 시험장소는 인천, 부산, 광주의 지정된 장소에서 치르게 되며 시험문제는 먼저 시험을 치른 수험생들이 다른 수험자들과 공유될 수 있으므로 문제는 지역별로 달리 출제되고 같은 지역은 시간대별로 달리 출제된다. 같은 지역 같은 시간대에 거의 동일한 문제가 출제된다. 보통의 시험시간은 다음과 같다.

구분	수험자입실시간	시험안내 및 순서추첨	면접시험
1부	08:30	08:30~09:00	09:00~10:30
2부	10:00	10:00~10:30	10:30~12:00
면접관 및 시험종사자 중식시간			12:00~13:00
3부	12:30	12:30~13:00	13:00~14:30
4부	14:00	14:00~14:30	14:30~16:00

○ 감정사 · 검량사 범위내에서만 질문하지 않는 경우도 있다.

☞ 감정사의 시험범위는 넓게 보면 검량사, 검수사 시험범위를 포함한다고 해도 과언은 아니므로 검량사는 물론 검수사의 내용까지도 질문이 나올 수 있다. 역으로 검량사, 검수사 면접시험에서도 감정사에 대한 내용을 물어보는 경우도 있다. 예를 들어 검수사 면접시험에서 B/L(선하증권)의 종류에 대해서도 묻는 경우도 있고 감정사 시험에서 컨테이너의 운송시스템에 대해서도 물어 볼 수도 있다.

○ 영어로 질문하고 답변해야 하는 경우가 있다.

☞ 과거의 감정사등의 시험은 해기사 면접시험 방식과 유사하게 진행되어 면접관이 영어로 묻고 영어로 답을 해야 하는 경우가 있었으나 최근에는 영어 관련 문제는 한 문장 정도의 적요(remark)를 영어로 묻고 이 뜻을 해석하여 답하는 수준이다. 개인정보를 면접관과 수험생이 서로 알 수 없도록 블라인드 방식의 면접을 하므로 "자기소개를 영어로 하시오"라는 문제는 물어볼 수 없다.

○ 2차면접 문제는 1차 필기시험에 빈출되는 문제들이다.

☞ 1차와 2차 시험방식의 차이는 있으나 시험범위가 같으므로 본 면접대비 책자는 1차 시험의 요약본이라고도 할 수 있다. 필기시험 전에 꼭 숙지하시길 권장 드린다.

2. 면접시험 절차

○ 면접은 개인별로 면접장에 입실한다.

☞ 공단에서 지정한 일시와 장소에 미리 대기하고 있다가 안내에 따라 장소를 이동한 후 면접순서를 추첨으로 정한다. 추첨순서에 따라 면접장으로 이동하여 시험을 치루면 된다. 면접은 약 5분정도 소요된다.

○ 면접시험은 블라인드 방식이다.

☞ 면접관 2인이 수험자 1인에 대해 서로 볼 수 없도록 블라인드(칠판이나 칸막이 등)을 사이에 두고 음성으로 질의와 답변을 한다. 필기도구나 수첩 등을 지참할 수 없으며 면접관들이 볼 수 없다 하더라도 자기 신분과 관련된 복장을 착용할 수 없다.

○ 개인별로 3~5개 문제를 질문하며 구술로 답을 해야 한다.

☞ 보통 3개를 질문하고 모두 답변하거나 전부 답변을 못하는 경우 면접을 마치게 되고 추가로 물어보는 경우는 면접관이 합격, 불합격에 대한 결정을 못하거나 확신이 없는 경우 추가질문의 답변 여하에 따라 합격여부를 결정하는 것으로 보인다. 바람직한 상황은 아니지만 면접관에 따라 심지어 7~10까지 질문하는 경우도 가끔 있으니 유의바란다.

○ **면접관이 이 분야의 전문가라 생각해서는 곤란하다.**

☞ 감정사, 검량사 시험은 출제범위가 매우 다양하고 광범위하기 때문에 선박, 선체, 항해, 기관, 무역, 보험, 해양오염 등 모든 범위의 한명의 전문가는 존재하지 않는다. 현직 감정사의 경우에도 법인에 따라 하는 일이 다르다. 면접관은 공단에서 제공한 문제와 모범답안만을 가지고 판정한다 라고 생각하면 된다.

○ **답변을 할 때 먼저 핵심내용을 이야기 하고 추가적인 내용을 설명한다.**

☞ 면접관이 본인의 면접 답안지에서 답을 빠르게 찾아 수험생의 답변을 신뢰하며 들을 수 있도록 답변은 처음에 핵심적인 내용을 말하는 것이 유리하다. 예를 들어 "CFS에 대해서 설명하시오"라는 질문을 받았을 때 용어의 약자와 정의에 대해 먼저 답변하고 핵심적인 내용 3가지 정도 답변하면 충분하다. 내가 말한 내용이 면접관이 가지고 있는 모범답안지에 없는 경우도 있을 수 있으므로 알고 있는 내용과 관련지식을 추가로 설명하는 것도 요령이다.

(면접관) CFS에 대해서 설명하시오.
(수험생) ○ Container Freight Station의 약자이며 소량 컨테이너 화물 집합소입니다. 즉 LCL(Less than Container Load Cargo) 화물을 모아서 하나의 컨테이너로 구성하기 위한 장소입니다. ○ 수출의 경우 컨테이너 1개에 만재하지 못하는 소량화물을 지정된 장소에서 집결하고 이를 양하지별로 구분해서 컨테이너에 넣어야 하는데 이를 적입이라 합니다. ○ 수입의 경우에는 혼재화물을 컨테이너에서 꺼내어 수하인마다 분할하여 인도하여야 하며 이를 적출이라 합니다. 선박회사측이 이런 작업을 하는 장소를 CFS라 부릅니다.
(면접관) 추가로 답변하실 내용이 있습니까 ?
(수험생) CFS 위치는 선박회사가 지정하는 장소로 되어 있으며 우리나라의 경우 세관의 허가를 받은 지정된 장소이어야 한다.
(수험생) 이상입니다.

3. 이 책의 공부 방법

○ **각 장은 무작위로 배치된 것이 아니라 흐름이 있다. 일단 전체적으로 가볍게 한번 읽어보며 흐름을 파악한다.**

☞ 처음부터 무리하게 외우려고 하지 말 것

○ **기출문제와 예상문제로 나뉘어져 있는데, 우선 기출문제를 중심으로 공부한다.**

☞ 기출문제는 이해하고 외우도록 한다. 긴 답변을 외우기 힘든 경우는 서너 줄 정도로 정리해서 외워놓는다. 면접 시 짧은 답이라도 하여 점수를 얻기 위함이다.

○ **본서의 답변 내용을 기초로 하여 본인이 면접시 말하기 좋은 순서나 내용으로 수정하여 정리한다.**

4. 감정사, 검량사, 검수사 등의 시험과목 및 출제범위[1)]

4-1. 공통과목(영어)

- ○ 영문 선적서류의 대의 해득
- ○ 영문 검량 · 감정보고서의 작성
- ○ 간단한 화물사고의 영문적요 기입
- ○ 영문 해난보고서 해득
- ○ 영문 화물사고 항의서의 해득
- ○ 검수에 관한 실무영어(검수사시험에 한한다)

4-2. 검수사

가. 검수에 관한 일반적 지식

- ○ 항만운송사업법
- ○ 검수실무
- ○ 검수화물의 종류 및 검수의 방법

---

1) 「항만운송업무 처리지침」, 해양수산부, 2020. 10. 8

○ 화물의 기초 및 검수용어해설
○ 검수안전수칙
○ 손상화물의 상태 검사

4-3. 감정사

가. 전문분야의 해당과목

○ 선체 · 디젤기관 · 터빈기관 · 발전기 · 전동기 · 펌프(Pump) 및 의장품 기타 선박시설물의 구조와 파손 및 고장에 대한 처리
○ 선박의 내항성 검사
○ 펌프(Pump) · 양하기 및 기중기(Derrick)의 종류와 용량계산
○ 선체 및 기관 기타시설물의 자연부식 원인과 처리
○ 선박예항에 관한 필요한 준비와 삭구의 경력 계산
○ 선용자재 및 재료의 종류와 구조와 기능
○ 공작기계의 종류와 구조 및 기능
○ 선내의 흡 · 배수장치의 배치와 손상
○ 선박평형수 탱크(Ballast Tank) · 음료수탱크 · 연료탱크 · 이중저 탱크(Deep Tank)의 배치와 용량계산 및 청소유지
○ 선체의 복원력과 동요(배수량, 곡선도, 재화 · 용량도, 재화중량표(Dead weight), 건현의 종류 및 표시방법)
○ 해수비중과 온도의 변화와 흘수변화 조정
○ 선박적량측정법의 감정에 필요한 조정
○ 간이선박 적량측정규칙 및 선박적량 실측방식
○ 해난사고의 종류와 원인 및 처리
- 화물사고의 적요의 종류와 그 기입방식
- 화재 및 수침화물의 처리
- 해치타포올린 시험
○ 하역작업과 적부작업의 감독사항
○ 공동해손의 분담액 산정
- 선체 · 기관 및 화물의 평가
○ 적부계획 · 선창 · 여적계산 및 재화계수
○ 짐깔개(Dunnage) 및 화물이동 방지재(Shifting Board)설치 주의사항

○ 연료유와 윤활유와 유지의 종류와 성상
○ 중량화물 · 용적화물 · 위험화물 · 고가화물 · 냉동화물 · 부패성화물 · 목재 · 철물 · 석탄 및 광석, 유류 기타 액체화물 · 곡류 · 시멘트 · 원당 · 화학비료 · 잡화 · 생동물 및 갑판화물, LPG 및 화학성품의 선적방식 및 손상처리

나. 감정에 관한 일반적 지식

○ 검량에 관한 일반적 지식난의 시험과목 전부
○ 각국 선급협회의 명칭 · 선급표시방식 및 만재흘수선증서 기타 선박에 관한 각종 증서
○ 해상보험의 개요, 선박보험증서 및 화물보험증서의 조항 해석
○ 하역관계서류의 종류와 기능
○ 하역설비 구조와 기능
○ 상법 (해상편)
○ 해상인명의 안전을 위한 국제협약 제6장 곡류의 운송 및 제7장 위험물의 운송
○ 선하증권에 관한 규칙 통일을 위한 국제협정 제6장(곡류 및 위험물의 적재규칙 선하증권에 관한 규칙 통일을 위한 국제협정 제21호)

다. 선박에 의한 유류오염 손해배상에 관한 일반적 지식

○ 기름의 일반적 성질
○ 기름이 해상으로 유출시 확산, 증발, 용해, 분산, 광(光) 화학적 산화와 이동
○ 오염된 기름이 환경에 미치는 영향
○ 유류오염의 책임과 보상에 관한 국제협약 및 유류오염손해배상보장법
○ 해상으로 유출된 기름의 처리와 확산방지대책
○ 유류오염피해조사지침 및 수산업법의 규정에 의한 손실액 산출기준

4-4. 검량사

가. 선박의 구조 및 흘수 계산방법

○ 배수량 곡선도 · 재화용량도 및 재화중량표(Dead weight) 보는 방법

○ 건현(乾舷)의 종류 및 표시방식, 흘수선 목측방식
○ 복원력 트림 조정 및 GM 계산
○ 해수 · 비중의 변화에 따른 흘수 조정
○ 선박 적량측정법의 검량에 필요한 조항 및 간이선박 적량측정규칙
○ 선창의 적량측정 · 선체의 구획 각부 및 의장품 종류
○ 유류 및 석탄의 검량 및 성상(性狀), 유지의 검량 및 성상(性狀)
○ LPG 및 화학성품(국내에 상응되는)의 검량 및 당밀의 검량
○ 특정화물 · 이형화물 · 원통형화물 · 토적산화물 및 목재의 검량
○ 계량소의 계량기 기타 계량기의 시험, 각종 계산기 및 타이프라이터 사용방식
○ 온도계 및 비중계의 종류와 환산 비교
○ 각국 도량형기의 환산 비교
○ 화물톤수의 종류와 비교
○ 검척 · 검근의 계량단위 채택 표준

나. 검량에 관한 일반적 지식

○ 항만운송사업법
○ 소금 · 원면 및 광석 기타 화물의 사료채취방식과 당해 규격
○ 선박의 용도별 · 기관별 · 항행구역 및 재질별 명칭
○ 선박의장품 및 각 구조물의 종류
○ 선적서류 · 화물인수도 및 사고에 관한 서류의 기능
○ 대종화물의 종류와 산지 및 위험화물의 종류
○ 선원 양성기관의 종류 및 선원의 직명과 직책
○ 선박의 선원 및 항만과 화물의 관리청의 명칭과 편성
○ 하역회사의 편성과 하역작업원의 편조의 명칭과 직책
○ 하역기구의 명칭 · 용도 · 배치 및 항내운송기구의 종류와 기능
○ 기압과 대기온도의 관계 및 해수의 온도와 염도와 비중관계
○ 풍력과 파랑(波浪)의 관계, 해수의 온도와 염도와 비중관계
○ 화물의 선적항으로부터 수화주 창고까지의 경로
○ 컨테이너의 구조 각부의 명칭
○ 컨테이너의 재화방법 및 컨테이너수송에 필요한 서류의 종류와 기능

- ◦ 컨테이너의 종류와 그 외 육상운송기구의 종류와 방식
- ◦ 각종 자동차 부품의 명칭과 기능

제1장. 기초단위와 검량법

○ 제1장은 본서의 첫 장으로 가장 기본이 되는 단위에 관한 내용이 실려있다.

○ 화물의 중량, 부피 등을 측정하는데 있어 필요한 개념을 설명하고 있으며, 부피톤을 중량톤으로 환산하는 방법, 원목 및 액체화물 검량을 위한 기본 내용이 수록되어 있다.

○ 유류검량 분야는 감정사, 검량사 시험에서 자주 기출되는 문제이다. 특히 검량사 시험에서는 필수적으로 알고 있어야 하는 내용이다.

○ 검수사 시험에서는 단위 변환에 대해서도 가끔 출제된다.

※ Key Word : 롱톤, 숏톤, 메트릭톤, 트림, 힐, 사운딩, 얼리지, API, 화표

기 출 문 제

□ 롱톤, 메트릭톤, 숏톤에 대해서 설명하시오? ★★[검수사]

○ 롱톤, 메트릭톤, 숏톤은 무게를 측정하는 중량톤(ton)의 종류이다.

1) 롱톤(Long ton)은 영국식 무게단위로 1,016kg을 1롱톤(LT)으로 정의하고 있다. 파운드로는 2,240파운드(Pound)이다

2) 메트릭톤(Metric ton)은 프랑스식 단위이다. 1,000kg을 1돈으로 정의하며 2,204파운드이다.

3) 숏톤(Short ton)은 미국식 무게단위로 907kg을 1숏톤으로 정의하며 2,000파운드이다.

○ 요약하면

1) 1롱톤(Long ton : L/T, 영국) = 1,016.05(kg) = 2,240(lb)

2) 1메트릭톤(Metric ton : M/T, 프랑스식) = 1,000(kg) = 2,204(lb)

3) 1숏톤(Short ton : S/T, 미국) = 907.18(kg) = 2,000(lb)

* lb는 라틴어 libra에서 유래했으며 파운드를 나타낸다. 약 454그램이다.

☞ 「롱톤에 대해 설명하시오?」와 같이 개별적으로도 질문할 수 있다.

□ 목재의 검재법에 대해서 설명하시오? ★[검량사]

○ 목재(木材)는 각재(Square type), 원목(Log), 할재(Cant)로 구분되며 그 형태가 매우 다양하므로 검량자의 세심한 주의가 요구된다.

1) 각재는 원목을 네모지게 켜 놓은 목재이다. 각재의 용적은 길이 1ft×폭 1ft ×두께 1inch(1BF ; Board Foot)의 목판의 부피를 측정한다.

2) 원목 검측방법은 ① 브레레톤법, ② 컨퍼런스법, ③ 홉파스 스트링법이 있다.

3) 할재는 목재의 단면형상이 불규칙하며 큰 통나무를 길이 방향으로 자른 목재를 말하며 ① String measure법과 ② Mean measure법이 있다.

□ 원목(Log)의 검측방법 3가지를 설명하시오? ★[검량사]

○ 원목의 검측방법은 브레레톤법, 컨퍼런스법, 홉파스 스트링법이 있다.

1) 브레레톤법(Brereton scale) : 미국, 필리핀과 인도네시아 등에서 널리 이

2) ★ 표시는 중요도와 기출빈도를 나타낸 것이다.

용되며 북미재의 원목을 검측할 때 주로 사용된다.

$$용적 = (\frac{a'' + b''}{2})^2 \times \frac{\pi}{4} \times L' \times \frac{1}{12}(BF)$$

2) 컨퍼런스법(Conference scale) : 미국에서 사용하며, 컨퍼런스법에 의한 1,000 BF는 브레레톤법으로 785 BF에 해당한다.

$$용적 = (\frac{a'' + b''}{2})^2 \times L' \times \frac{1}{12}(BF)$$

3) 홉파스 스트링법(Hoppus String scale) : 영국, 인도, 말레이시아, 호주 등에서 사용되는 방법

$$용적 = (\frac{중앙둘레(c'')}{4})^2 \times L' \times \frac{1}{12}(BF)$$

☞ 용적공식은 참조용으로만 알고 있으면 충분하다.

□ 목재 검량법에서 사용되는 단위는? ★[검량사]

○ 목재는 운임톤으로 Board Measure(BM)을 사용한다.

○ 1 Board Measure(BM)은 1,000 Board Foot(BF)이며, 1 Board Foot은 길이 1ft × 폭 1ft × 두께 1inch의 목판의 부피이다.

* 단위(ft×ft×inch)에 특히 유의해야 한다.

○ 즉, 1 BM = 1,000 BF이고, 1BF = ft^2×inch이므로

$$1BF = ft^2 \times inch = ft^2 \times inch \times \frac{ft}{12inch} = \frac{1}{12}ft^3$$이다.

□ ft^3를 Ton으로 변환하는 경우는? ★[감정사]

○ 적화용적도(cargo capacity plan)*에서 용적톤(measurement ton) 산정시 40ft^3 (=1.13m^3)를 1톤으로 하여 용적톤으로 표시한다.

○ 운임톤(RT) 산정시 1 R/T(운임톤)는 40ft^3을 1톤으로 간주한다.

○ 예를 들어 미국에서 수입한 화물의 용적이 4,000ft^3일 때 운임톤(R/T)은 40ft^3을 1 R/T로 간주하므로 100R/T(운임톤)가 된다.

* 적화용적도 : 화물적부에 필요한 선창, 탱크 등 용적을 나타내는 도면을 말한다. 이것은 화물적화의 목적만을 위해 각 구획의 형상이나 장애물의 유무에 따라 실제 선적화물의 적화용적을 고려하여 본선에서 실측하여 작성한다. 적화용적도는 각 변을 선박의 치수비와 같게 하여 하부선창은 종단면도, 중갑판은 평면도로 표시한다. 또 이를 소구획으로 나누어 40ft^3(1.13m^3)를 1톤으로 한 용적톤으로 표시한다.

□ 기름 K/L를 M/T으로 환산하는 방법은? ★[감정사]

○ 기름은 비중과 온도에 따라 부피와 중량이 달라진다.

○ 부피인 K/L를 무게인 M/T 환산하는 방법을 예로 들면

○ 기름의 비중 0.88일때 1K/L는 1K/L×0.88 = 0.88M/T 이다.

※ 정확하게는 기름탱크 온도값에 대한 온도보정계수도 감안해 주어야 함.
즉, 중량(M/T) = 탱크내의 기름(K/L)×비중(15/4℃)×온도보정계수

<예1> 기름탱크 안의 기름 온도가 40℃ 이고, 측정한 양이 A kL이면 15℃ 에서의 중량(M/T)을 계산하는 방법은? (단, 기름의 15/4℃ 비중은 S이고, 온도 보정계수는 C라고 가정한다.)

☞ 중량(M/T) = A(kL) × 온도보정계수(C) × 15/4℃에서의 비중(S)

※ 온도변화에 따른 탱크내 측정량의 관계

◦ 기름탱크 온도(℃) 일 때 → A K/L (C : 온도보정계수)

◦ 15℃ 일 때 → B k/L (S : 비중)이라 하면 A×C = B이고, B×S = M/T이다.
즉, (A×C)×S = M/T이다.

<예2> 사운딩 깊이가 1.189m이고 유류량이 437.87 K/L인 탱크의 측정온도가 21℃일 때 실제 기름 무게(M/T)은 약 얼마인가? (단, 15/4℃ 비중은 0.9673이고, 21℃ 온도보정계수는 0.9963이다.)

☞ ◦ 기름탱크 온도 21℃ 일 때 → 437.87 K/L (C : 0.9963)

◦ 15℃ 일 때 → B k/L (S : 0.9673)이다. A×C = B이고, B×S = M/T, (A×C)×S = M/T이므로 437.87 K/L × 0.9963 = 436.25 K/L, 436.25 K/L × 0.9673 = 421.98 M/T이다.

□ 감정사 실무와 관련된 국제협약을 말해보시오? ★[감정사]

○ 화물의 안전 운송과 운송 과정에서의 해상사고 및 피해보상 관련 국제협약이 적용되며,

○ 위험화물에 관련된 협약은 「해양오염방지에 관한 국제협약(MARPOL 73/78)」과 「국제해상인명안전협약(SOLAS)」 등이 있고

○ 유류오염 피해보상에 대한 「92민사책임협약」과 「92국제기금협약」 그리고 「선박연료유 협약」 등이 있다.

○ 흘수선에 관해서는 「1966년 국제만재흘수선협약」이 있다.

○ 또한「무역조건의 해석에 관한 국제규칙(Incoterms)」, 자치규범이지만 공동 해손의 정산과 관련된「요크 앤트워프 규칙(YAR)」이 있으며

○ 정기용선자와 선박소유자 사이의 정산을 목적으로 마련된「인터클럽협정(Interclub NYPE agreement)」, 선하증권 통일조약인「Hague rules(1824)」,「Hague-Visby Rules(1968)」,「Hamburg Rules(1978)」등이 있다.

□ 트리밍(trimming)과 힐링(heeling)에 대해 설명하시오?

★★[감정사/검량사]

○ 트리밍과 힐링은 수면에서 선박의 기울기 즉, 종경사(길이방향)와 횡경사(폭방향)를 나타내는 용어이다.

○ 선수의 흘수와 선미의 흘수가 같지 않을 때 그 배는 트림(Trim)되었다고 말한다. 즉, 선수흘수와 선미흘수의 차를 트림이라고 한다.

○ 선미흘수가 선수흘수보다 큰 경우를 선미트림(Trim by the stern), 선수흘수가 선미흘수보다 큰 경우를 선수트림(Trim by the head 또는 stem)라 하며 선수흘수와 선미흘수가 같은 경우를 등흘수(Even keel)라고 한다. 선박의 길이 방향으로 불균등하게 침수되는 것을 조절하는 것을 트리밍이라고 한다.

○ 선박의 폭방향으로 좌현 · 우현으로 기울어진 것을 힐링이라고 한다.

* Heel과 List는 같은 횡경사를 의미한다.

1) TRIM 측정 : 트림은 선수와 선미의 흘수차를 계산하여 산출

* Trim by stern : 선수흘수 < 선미흘수, "-"로 표시
* Trim by head : 선수흘수 > 선미흘수, "+"로 표시
* Even keel : 선수의 흘수= 선미흘수, "0"로 표시

예) Trim = 선수흘수(8m) - 선미흘수(10m) = -2.0m(Trim by stern)

2) HEEL 측정 : 힐의 종류에는 다음과 같은 2가지로 구분한다.

* Starboard heel : Midship draft(s) > Midship draft(p) 로서 "+"로 표시
* Port heel : Midship draft(s) < Midship draft(p) 로서 "-"로 표시

예) 우현(starboard) 9.3m - 좌현(port) 8.7m = 우현쪽으로 0.6m 힐이 발생

□ **선박 트림에 대해 설명하시오?** ★★[감정사]

○ 트림이란 선수 흘수와 선미 흘수의 차를 말한다. 선미트림(Trim by the Stern)은 선미흘수가 선수흘수보다 큰 상태를 말하고, 선수트림(Trim by the Head)은 선미흘수가 선수흘수보다 작은 상태를 말한다.

※ Trim by the Head 또는 Trim by the Stem 이라고도 한다.

○ 등흘수(Even Keel) 는 선수흘수와 선미흘수가 같을 때를 말한다.

○ 트림은 흘수와 같이 선박의 속력, 타효 및 능파성, 선회권(선회경)에 영향을 미친다.

□ **운항시 선미트림을 주는 이유는?** ★★★[감정사/검량사]

○ 트림은 선수흘수와 선미흘수의 차이를 말하며 선박길이 방향의 경사를 나타냄

○ 선미트림은 선미흘수가 선수흘수보다 큰 상태를 말함

○ 선박 운항시에 약간의 선미트림을 주는 이유는 선박을 조정하는데 유리하기 때문이며 선미트림은 10~20cm가 최적임.

○ 선미트림의 효과는

1) 파랑의 침입을 줄이는 효과가 있음

2) 타효가 좋고 선속이 증가함

3) 선회권이 커지는 결과를 가져옴

○ 반면에 선수트림은 선수흘수가 선미흘수보다 큰 상태를 말하며 파랑이 많이 덮쳐오고 선속이 감소하고 선미 안정성이 없어 타효가 불량함. 선회권이 작아지나 투묘시 좋음

○ 등흘수는 선수와 선미흘수가 같은 상태를 말하며 수심이 얕은 해역을 통과할 때는 선저가 해저 닿지 않게 해야하기 때문에 등흘수 상태로 운항해야 함

□ **화물선적중 화물에 Cargo Mark가 없는 경우 처리방법은?** ★★[감정사]

○ 화물의 포장에 표시된 화표는 화물을 대표하는 기호가 되고, 수화주(受貨主), 양하지 및 취급법 등을 명시하는 중요한 표시이다.

○ 바꾸어 말하면 화표는 우편물에 수취인의 주소나 성명을 기록하는 것과 같은 역할을 하게 된다.

○ 화표가 없거나 불명확하면 그 화물의 목적항, 주의표시를 알 수 없으므로 양륙착오가 발생하거나 취급을 잘못하여 화물이 손상되어 다른 화물에 피

해를 끼칠 수도 있다.

○ 화표의 결여, 불명, 말소 등으로 인한 수도(受渡)사고에 대해서는 운송인이 그 책임을 지지 아니한다.

○ 선적시에 화표가 없거나 불명확하면 인수를 거절하기나 M/R(Mate's Receipt ; 본선수령증)에 그 내용을 기입하여 본선의 책임을 명확히 하여야 한다.

□ 화인(화물마크, 화표)에 들어가는 내용에 대해 설명하시오? ★[검수사]

○ 화물들은 팰렛(pallet), 밀폐형 포장 등을 하기 때문에 외관으로는 어떤 제품이 어떤 화주의 물건인지 구분이 힘들게 된다.

○ 화인은 운송수단을 이용하여 물건을 운송할 때 화물외장에 특정기호, 목적지, 취급문구 등을 표시하는 것으로 다른 화주들의 화물과의 구분을 위해 부착한다.

1) 필수기재사항 : ① 주화인(Main mark), ② 목적항표시(Port Mark, Destination mark), ③ 화물번호(Case Number), ④ 원산지 표시(Country of Origin)

2) 임의기재사항 : ① 부화인(Counter mark), ② 중량표시(Weight mark), ③ 주의표시(Care mark, Caution mark, Side mark) ④ 기타의 표시

3) 기타표시 : 수입상의 요청에 따라 ① 주문표시(order number), ② 지시표시(attention mark), ③ 물품의 등급(grade) 또는 품질표시(quality mark), ④ 품명표시(article mark), ⑤ 검사표시(passed mark), ⑥ 포장번호(package number) 등이 있다.

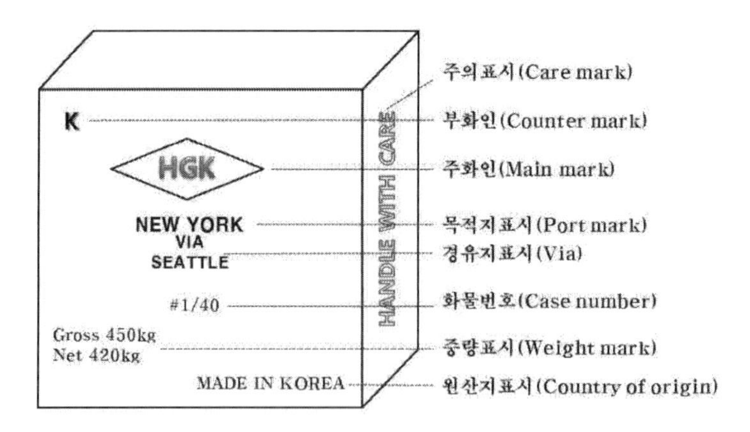

☞ 「필수기재사항은 무엇인가?」의 형태로 질의할 수 있다. 또는 「Counter mark란 무엇인가?」라고 지엽적인 사항도 물어볼 수 있다.

□ Care Mark란 무엇인가? ★[검수사]

○ 화물 포장표면에 표기하는 '주의표시' 또는 'Caution Mark'라 한다.

○ 화물의 운송 또는 보관을 할 때 취급상의 주의사항 등을 표시하는 것을 의미하며 보통포장의 측면 표시되기 때문에 사이드 마크(Side mark)라고도 한다.

☞ Care Mark와 Cargo Mark를 구분해야 한다.

□ **얼리지 레포트에 대해서 설명하시오?** ★[검량사]

○ Ullage report, 적하나 양하가 끝나면 화주의 입회하에 기름의 샘플을 채취하여 온도와 비중을 측정하여야 하며 액체는 온도가 상승하면 팽창되므로 기름은 탱크에 싣는 경우에도 운송중 온도상승을 예상하여 팽창량 만큼 공적(空積)을 남겨두어야 하는 데 이를 Ullage라고 하고 탱크내의 공적을 측정하여 유량을 결정하는데 이를 증명하는 적재량 증명서를 말함.

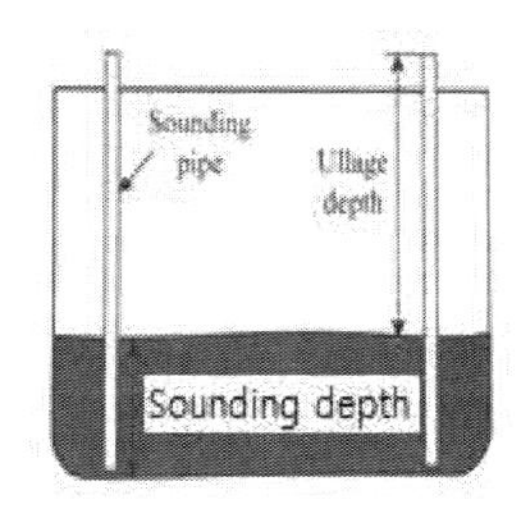

□ **API에 대해 설명하시오?** ★[감정사/검량사]

○ 미국석유협회, American Petroleum Institute에서 만든 원유의 비중표시 방법이다.

○ 원유는 생산지와 산출되는 유층에 따라 그 성상이 다른 데 비중 표시 방법에 따라 경질유(輕質油), 중질유(中質油), 중질유(重質油) 등으로 분류한다.

○ API는 원유의 비중을 나타내는 지표로서 비중 1(물)인 경우 API값은 10으로 하고 비중이 가벼워지는 데 따라서 API는 높아진다.

○ 변환식은 다음과 같다.

$$API = \frac{141.5}{\text{원유의 비중}(60/60°F)} - 131.5$$

○ 경질원유는 API가 34 이상의 원유로서 비중이 가벼운 원유이다.

* 中質원유(30~33), 重質원유(30이하)

○ 가솔린·나프타·등유 등 이용가치가 높은 성분을 함유한 원유일수록 비중이

가볍고 API가 34인 아라비안 라이트유(Arabian Light)는 경질유의 대표적인 원유로 기준원유이다. 이밖에 API 30 이하를 중질유(重質油)라 한다.

※ 15/4℃는 4℃에서의 물의 밀도(1,000 kg/m^3)값을 기준으로 15℃의 화물의 밀도(비중)를 얻을수 있고 60/60°F는 60°F(15.5℃)에시의 물의 밀도(999.035 kg/m^3)를 기준으로 60°F에서의 밀도(비중)로 환산된다.

☞ 「API가 높으면 비중이 가벼운가 무거운가?」, '기준온도가 몇 도인가?」 등 변형된 문제도 출제될 수 있다.

□ 유류검량방법에 대해 설명하시오? ★[검량사]

○ 수면상의 선박은 평평하게 수면에 떠있는 것이 아니라 선체변형이나 바람, 파도 등에 의하여 기울기가 존재한다. 이에 따라 유류탱크에서 유량을 측정할 때 여러 보정이 필요하다.

1) 트림(Trim)을 측정한다. 선미흘수(-)인지 선수흘수(+)를 파악한다.
2) 힐(Heel) 각도를 산출한다. '우현 중앙부(midship draft) 흘수값(s)'값과 '좌현 중앙부 흘수값(p)'을 측정하고 힐각도값을 산정한다.
3) Heel Correction Table을 이용하여 힐각도에 해당하는 Heeling Correction Depth 값을 찾아 힐각도를 보정한 Sounding depth값을 구한다.
4) 힐각도를 보정한 Sounding depth값에 해당하는 ①에서 구한 트림값을 개별선박의 Tank Sounding Table에서 유류의 양(K/L)을 구한다.
5) 온도보정표(Temp Correction Table)에서 비중의 그룹을 찾은 뒤 현재 기름의 온도와 교차하는 보정계수를 기름의 부피에 곱하는 온도보정작업을 통해 기름의 실제량을 산출한다.
6) 실제량에 비중을 곱하면 무게로 환산되어 유류검량이 완료된다.

☞ 22년 감정사 2차에서 「[유류검량에 온도보정을 하는 이유는 무엇인가?」 라는 질문이 있었습니다. 유류의 경우 온도에 따른 부피 변화가 있다는 것을 기본적으로 설명하시고 유류검량방법(온도, 비중, 보정계수, 실제무게측정 등) 을 추가로 설명하시면 충분한 답변이 될 것입니다.

※ 자세한 방법과 절차는 예상문제 다음에 있는 "유류검량 절차와 방법 예시"를 참조바랍니다. 순서와 절차를 이해하고 있으면 된다.

□ OBQ report, ROB report에 대해서 설명하시오? ★★[감정사/검량사]

○ OBQ와 ROB는 액체화물의 잔량을 일컫는 용어이다.

1) OBQ(On Board Quantity) : 적하 전 탱크에 남아있는 잔량

2) ROB(Remain On Board) : 양하 후 탱크에 남아있는 잔량

※ 연료유(Bunker)의 잔량을 ROB라고 부르기도 한다.

□ COW란 무엇인가? ★[검량사]

○ Crude Oil Washing. '원유세정(원유를 이용한 세정방법)'이다.

○ 원유선 화물탱크에 적재된 원유는 양하항으로 운송되는 도중에 원유중에 함유되어 있는 여러 가지 찌꺼기*가 탱크바닥에 침전되게 된다.

* 찌꺼기는 주로 왁스(wax), 아스팔트(asphalt), 타르(tar) 성분이다.

○ 이러한 찌꺼기 침전물들은 여러 항차 동안 반복되면 최종 양하단계인 스트리핑(stripping) 단계에서 흡입구인 벨마우스(bell mouth)를 막아 많은 양의 원유가 화물탱크에 잔존*하는 결과를 초래할 수 있다.

* 화물탱크내 잔존유 : ROB(Remain On Board) oil

○ 양하중에 양하되는 원유의 일부를 이용하여 화물탱크를 세정하는 것을 COW(원유세정)라고 한다. 즉, 양하되는 원유의 일부를 탱크 세정배관과 세정제(원유)를 이용하여 고압으로 탱크내에 분사시켜 침전물을 분해 및 용해 후 화물과 함께 육상으로 양하시키는 것을 말한다.

※ 탱크내부를 해수로 세정하는 방식도 있다. 가열된 해수(약 70~80℃)를 고압(약 10kgf/cm^2)으로 분사하여 탱크내의 기름과 침전물을 제거하는 방식이다. 이럴 경우 나중에 유수분리 절차가 필요하다.

☞ 23년 검량사 시험에서 「COW를 하는 이유?」에 대해 질의한 바 있다. 또한 「원유선 화물탱크 세정방식은 무엇이 있는가?」로 질의할 경우 '원유세정식'과 '해수세정식'으로 설명하면 된다.

예 상 문 제

□ 다음을 단위를 바꿔보시오?

○ 1 inch = 2.54 cm, 1 cm = 0.39 inch

 * 1인치는 피트의 1/12, 야드의 1/36이다.

○ 1 ft = 0.3048 m = 12 inch, 1 inch = 0.083 ft

○ 1 yard = 0.9144m

○ 1 fathom = 1.83 m = 6 ft

○ 1 mile = 1,852 m(해상), 1,609 m(육상)

○ 1 cable = 0.1 mile

○ 1 shackle = 27.5 m(앵커체인)

□ RT(Revenue Ton, 운임톤)이란 무엇인가?

○ 운임톤은 R/T, Revenue Ton이라고 한다. 여기서 Revenue는 수익이라는 뜻으로 사용된다. Freight Ton이라고도 한다.

○ 선주가 화주에게 선적화물에 대해 운임을 청구할 때 중량 또는 용적단위로 요금이 책정되는데 선주는 중량이든 용적이든 둘 중 높은 운임을 산출해 낼 수 있는 쪽이 실제운임의 부과기준이 되므로 이로 인해 수익을 얻기 때문이다.

<예시 1> 중량 250kg, 화물사이즈 1.381cbm의 화물의 경우
250kg < 1.381 cbm(=1.381×1,000=1,381kg) 이므로 운임톤(R.Ton)은 1.381 cbm을 적용한다

<예시 2> 800kg < 1cbm = 부피가 무게보다 크므로 cbm 운임적용
3,000kg > 2cbm = 무게가 부피보다 크므로 kg에 운임적용
3,000kg > 2.5cbm = 무게가 부피보다 크므로 kg에 운임적용

※ 부피, 중량이 1cbm, 1,000kg이 안될 경우 미니멈 1cbm 적용

□ 무인(無印)화물(no mark cargo, N/M)이란 무엇인가?

○ 목적지 표시(port mark)와 화물번호(case number)가 없는 화물을 말한다.

○ 무인화물의 경우는 Non-delivery(인도불이행) 등으로 화주에게 손해를 주는 경우가 많다.

* Non-delivery : 운송인에게 인도한 수량의 전부 또는 일부가 수하인에게 인도되지 않는 경우

□ 사운딩과 얼리지에 대해 설명하시오?

○ 사운딩과 얼리지는 액체탱크에서 액체의 양을 측정하는데 사용되는 용어이다.

○ 사운딩(sounding) : 탱크 바닥부터 유면까지 측정한 유류의 높이

○ 얼리지(ullage) : 사운딩 파이프 위 게이지 포인트에서 아래의 유류면까지 측정한 길이를 말한다.

□ 액체화물 검량보고서에 사용되는 다음 보고서에 대해 설명하시오?

○ Ullage report : 적하나 양하가 끝나면 화주의 입회하에 기름의 샘플을 채취하여 온도와 비중을 측정하여야 하며 액체는 온도가 상승하면 팽창되므로 기름은 탱크에 싣는 경우에도 운송중의 온도상승을 예상하여 팽창량 만큼 공적(空積)을 남겨두어야 하는 데 이를 Ullage라고 하고 탱크내의 공적을 측정하여 유량을 결정하는데 이를 증명하는 적재량 증명서를 말한다.

○ Line displacement report : 이종화물을 동일한 파이프라인을 통하여 선적할 경우 첫 번째 유종 선적이 완료되기 전, 육상 파이프라인의 용량만큼 두 번째 종류의 화물로 밀어주어 육상라인에 있는 화물을 다음화물로 대체하는 것을 말한다. 일단 육상라인 배출작업에 돌입하면 더 이상 첫 번째 화물의 양을 변경하지 못하므로 topping 단계에서 라인배수톤수를 적절히 산정하여 육상에 통보하여야 한다.

○ Vessel experience factor report(VEF) : 지금까지의 본선수량에 대한 B/L(선하증권) 수량의 비를 말하며 단일항 적재의 만재화물(full cargo)에 대해서만 계산한다. 양자간의 차가 0.5%를 넘는 것을 제외한 최근 10항차의 단일항 만재화물의 60℉(15℃)에 있어서의 Gross barrel을 비교한다.

□ **토핑 오프(Topping Off)에 대해서 설명하시오?**

○ 선박유류 선적작업이나 유조탱크 등의 수급작업의 마지막 단계로서 유류공급측에서 유류를 보내는 속도를 낮추고 탱크별 작업을 순차적으로 끝내면서 얼리지 등으로 목적했던 양과 일치여부 또는 확인하는 작업을 말한다.

□ **기름의 체적을 나타내는 방법은?**

○ Ullage를 측정할 때 trim과 list가 있으면 수정을 해주어야 한다, 이때 수정된 값은 Corrected ullage라 한다.

○ Corrected ullage를 통해 Total volume인 TOV를 구할 수 있고 여기에서 free water*를 제거한 값이 GOV이다.

1) TOV(Total Observed Volume) : 관측온도에서 슬러지와 free water를 포함한 전체체적

2) GOV(Gross Observed Volume) : TOV에서 free water를 제거한 값

3) GSV(Gross Standard Volume) : GOV의 표준온도(60℉ 또는 15℃)의 체적

* free water(자유수, 분리수) : 탱커내의 자유수를 의미하는 경우와 기름과 명확히 분리된 물을 말한다.

유류검량 절차와 방법 예시

o M/V. SEA PRINCE호의 No.1 탱크의 상태이다. 이 탱크의 기름양은?

1) FORWARD DRAFT at F.P	8.0m
2) AFTER DRAFT at A.P	10.0m
3) MIDSHIP DRAFT(P)	8.7m
4) MIDSHIP DRAFT(S)	9.3m
5) HEEL TO STARBOARD	0.6m
6) SOUNDING DEPTH(또는 ULLAGE DEPTH)	1.0m(또는 15.88m)
7) S.G at 15/4℃	0.9673
8) F.O TANK TEMPERATURE	42℃
9) 선박폭	30.5m

1. **TRIM 측정** : 트림은 선수와 선미의 흘수차를 계산하여 산출하므로

Trim = 선수흘수(8m) - 선미흘수(10m) = -2.0m(Trim by stern)

* Trim by stern : 선수흘수 < 선미흘수, "-"로 표시
* Trim by head : 선수흘수 > 선미흘수, "+"로 표시
* Even keel : 선수의 흘수= 선미흘수, "0"로 표시

2. **HEEL 보정** : 힐의 종류에는 다음과 같은 2가지로 구분한다.

* Starboard heel : Midship draft(s) > Midship draft(p) 로서 "+"로 표시
* Port heel : Midship draft(s) < Midship draft(p) 로서 "-"로 표시

우현쪽으로 0.6m 힐이 발생(9.3m - 8.7m = 0.6m), 힐 각도는

$$\tan\theta = \frac{\text{Heel value}}{\text{선폭(B)}}, \quad \theta = \tan^{-1}\frac{\text{Heel value}}{\text{선폭(B)}} = \tan^{-1}\frac{(9.3-8.7)}{30.5} = 1.1269°$$

Heel Correction Table에서 1.129 deg.에 대한 값은 직접적으로 구할 수 없으므로 이 Heel angle에 대한 값을 구하기 위해 보간법을 이용하여 간접적으로 구해야 한다.

CORRECTION TABLE DUE TO HEEL SOUNDING DEPTH(M)								
HEEL (DEG)	0.000	0.500	1.000	1.500	2.000	2.500	3.000	·········
·········	·········	·········	·········	·········	·········	·········	·········	·········
-1.000	·········	·········	·········	·········	·········	·········	·········	·········
-0.500	·········	·········	·········	·········	·········	·········	·········	·········
0.000	·········	·········	·········	·········	·········	·········	·········	·········
0.500	0.016	0.016	0.016	0.036	0.000	·········	·········	·········
1.000	0.038	0.031	0.031	0.073	0.000	·········	·········	·········
1.500	0.061	0.047	0.047	0.108	0.000	·········	·········	·········

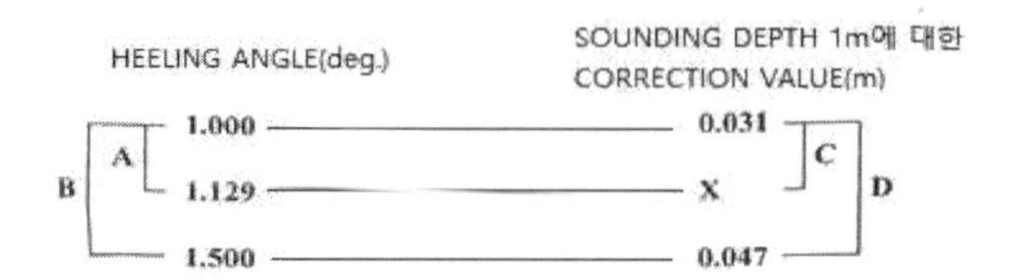

Sounding Depth가 1m 이므로 A : B = C : D를 이용하여
(1.129－1.000) : (1.500－1.000) = (X－0.031) : (0.047－0.031),
X(Heeling Correction Depth Value) = 0.035m 이고 최종적인 탱크 레벨의 측정치는 Sounding depth + Heeling Correction value = 1.0 + 0.035 = 1.035m
즉, Sounding depth(without heeling)는 1.035m(103.5cm)이다.

3. SOUNDING DEPTH 1.035m의 양(K/L)를 구한다.

TANK SOUNDING TABLE FOR "SEA PRINCE"								
SOUNDING DEPTH CM	TRIM HEAD 1.0M	EVEN KEEL 0.0M	CAPACITIES IN CUBIC METERS TRIM BY THE STERN					ULLAGE DEPTH CM
			-1.0M	-2.0M	-3.0M	-4.0M	-5.0M	
								………
96	………	………	………	………	………	………	………	………
98	………	………	………	………	………	………	………	………
100	437.97	408.14	378.32	348.49	318.67	288.84	259.02	1588
102	445.85	416.02	386.20	356.37	326.55	296.72	266.90	1586
104	453.73	423.90	394.08	364.25	334.43	304.60	274.77	1584
106	461.61	431.78	401.95	372.13	342.30	312.48	282.65	1582

Tank Sounding Table에서 1.035m에 대한 값은 직접적으로 구할 수 없으므로 값을 구하기 위해 보간법을 이용하여 간접적으로 구해야 한다. Trim값은 위에서 구한대로 -2.0m(Trim by stern)이다.

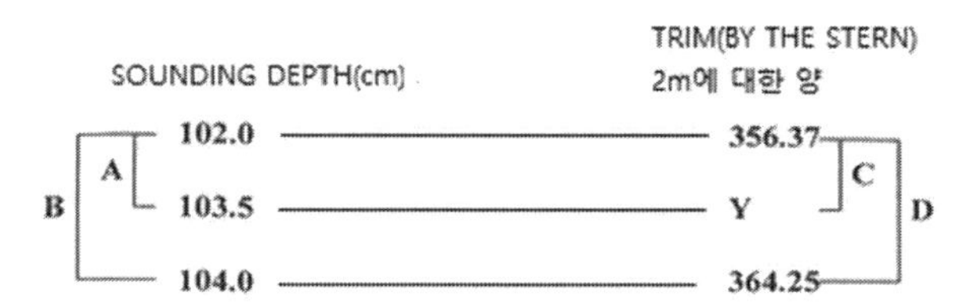

A:B = C:D를 이용하여 (103.5－102.0):(104.0－102.0)=(Y－356.37):(364.25－356.37),
Y = 362.28 K/L 즉, 362.28 K/L는 탱크온도 42℃이고 사운딩 깊이 1.035m 일 때의 양을 나타낸다. 다음단계는 표준온도로 보정하고 실제의 기름양을 측정하게 된다.

4. 온도보정

15/4℃에서 기름의 비중(S.G.)은 0.9673으로 주어져 있다. 이 값은 기름 고유의 값으로서 온도에 따라 변하지 않는 값이다.

이 값은 기름 15℃와 물4℃에 대한 비율을 나타낸 것인데 현재 측정된 기름의 온도는 42℃이다. 이것은 기름이 기준 온도보다 더 가열된 상태로서 15℃상태보다 더 팽창했음을 의미한다. 따라서 이에 대한 보정이 이루어져야 한다. 이에 대한 보정은 Petroleum Table을 이용하면 가능하다.

Volume at 15℃ occupied by Unit Volume at indicated temperatures				
Temp (℃)	Group Number			
	0.7237 ~ 0.7750	0.7751 ~ 0.8495	0.8496 ~ 0.9653	0.9654 ~ 1.0754
	3	2	1	0
⋮	⋮	⋮	⋮	⋮
42.0	0.9704	0.9758	0.9808	0.9832
⋮	⋮	⋮	⋮	⋮

15/4℃에서 비중이 0.9673이므로 Table에서 Range가 0.9654~1.0745 @ 15/4℃인 Table "Group 0"에 해당한다.

측정온도가 42℃ 이므로 환산표에서 보정계수는 0.9832이다.

그러므로 실제량은 Y값(362.28K/L)×환산계수(0.9832) = 356.19K/L로 된다. 이 값을 살펴보면 온도보정을 하기전 보다 그 양이 줄어든 것처럼 보인다. 그러나 이것은 실제로 줄어든 것이 아니라 기름이 42℃가열되어 부피가 늘어난 것을 기준온도 15℃로 보정한 것이다.

제2장. 하역서류와 무역거래조건

○ 제2장은 감정사, 검량사, 검수사 시험에서 매우 자주 출제되는 분야이다

○ 화물운송을 위해 선박에 화물을 싣는 작업인 '선적'과 화물을 육지에 내리는 '양하'를 위해 필요한 서류를 중심으로 알아보며, 항해하는 도중 발생할 수 있는 손해에 대한 운송인의 면책조건에 대해서 알아본다.

○ 여기에서 '하역(荷役)'은 짐을 싣고 내리는 것을 말한다. 짐을 싣는 일은 적하(積荷), 짐을 내리는 일은 양하(揚荷)이다. 하(荷)와 화(貨)는 같은 뜻으로 쓰인다. 예를 들어 하주(荷主) = 화주(貨主), 송화주 = 송하주, 선하증권 = 선화증권으로 혼용해서 쓰이고 있다. 일본식 한자의 영향으로 보인다.

○ 용어를 숙지할 때는 송화인, 운송자, 수화인 등의 삼각관계를 염두에 두고 공부하는 것이 도움이 된다. 즉, 송하인(매도인, 수출업자, shipper, consignor)이 보낸 화물을 선사(운송인)가 선적, 운송, 양하후 수하인(매수인, 수입업자, consignee)에 인도하기까지 각 과정에서 필요한 서류와 관계를 이해하는 것이다. 예를 들어 선하증권(B/L)은 운송인(선사)이 발행하며 송화주에게는 '운송계약의 증서'이고 수하인은 '화물에 대한 권리증권' 역할을 하게 되는 관계이다. 선하증권(B/L)은 반드시 출제되는 분야이다.

○ 매도인의 책임이 기준이 되는 화물의 운송조건인 INCOTERMS를 알고 있어야 한다. 11가지 운송조건 중에서도 특히 '해상운송조건'에 대한 이해가 필요하다.

○ LCL화물을 컨테이너에 적입·적출하는 장소인 CFS에 대한 정의도 중요하다. 1차와 2차시험에 매년 출제되는 문제이다.

※ Key Word : 선적서류(S/R, S/O, M/R, B/L, M/F), 하역서류(L/G, D/O, Cargo Boat Note, Tracer), 인코텀즈, 해상운송조건, 선하증권, LCL, FCL, CFS

기 출 문 제

□ 화물을 인수 또는 선적할 때 관계되는 서류를 3가지 이상 말하시오?

★[감정사]

○ 송화주가 수화주에 화물을 보내기 위해서 선사를 통해 화물을 선박에 선적하기까지 필요한 서류

○ 선적요청서(S/R), 본선인수증(M/R), 선하증권(B/L), 적하목록(M/F), 해치리스트(Hatch list), 적부감정서(stowage survey report) 등이 있음

1) 선적요청서(S/R : Shipping Request) : 송화주가 선사에 제출하는 선적 신청서류

☞ 23년 감정사 시험에 「선적요청서가 영어로 무엇이냐?」는 질문이 출제되었다.

2) 선적지시서(S/O : Shipping Order) : 선사가 일등항해사에게 발행하는 적재지시서

3) 화물적부도(Cargo Stowage Plan) : 일등항해사가 선적지시서(S/O)를 기초로 작성. 적화용적도와 비슷한 방법으로 그린 도면이며 이것에 화물적부상태를 기입하여 한눈으로 파악할 수 있도록 했다. 각 구역의 적화상태를 일목요연하게 파악할 수 있게 함으로써 하역의 진행을 편리하게 하며 양륙착오 등의 화물사고가 없게 하는 것이 주목적이다. 화물적부도는 선적전에 작성하는 '적화계획적부도'와 적화작업이 완료한 후 작성되는 '완성 적부도'가 있다. 그래서 화물 적부도는 2번 작성한다고 한다.

4) 본선수령증(M/R : Mate's Receipt) : 선적이 완료된 후 검수, 검량에 의해 본선측에서 작성하여 송화주 또는 하역업자에게 교부하는 서류

☞ 23년 감정사 시험에 「선적완료 후 발행하는 서류가 무엇인가?」라는 질문이 있었다.

5) 선하증권(B/L : Bill of Lading) : 송하주가 본선수령증(M/R)을 선사에 제출하면 선사가 선하증권(B/L)작성. 운송인이 운송을 위하여 화물을 수령하였다는 것 또는 선적하였다는 것을 인증하고 약정된 장소에서 소지인에게 인도할 의무를 부담하는 유가증권

6) 적하목록(M/F : Manifest) : 선적을 완료한 후 B/L을 기초로 본선에서 작성

* 본선수령증(M/R)→선하증권(B/L)→적하목록(M/F)

7) 해치리스트(Hatch List) : 각 선창별로 적재된 화물의 종류, 수량을 기재한 일람표

8) (화물)적부감정서(Stowage Survey Report) : 위험화물 또는 손상이 우려되는 화물의 선적을 마친 후 본선이 화물적부*에 최선을 다했다는 사실을 인정받기 위해 감정인이 작성한 서류

* 화물적부검사 : 창구(Hatch)검사, 적부(Stowage)검사, 선창소제(Hold cleaning)검사, 냉장고검사

□ 화물을 양하하거나 인도할 때 관계되는 서류는? ★[감정사]

○ 선박이 양하지에 도착하여 운송인이 화물을 양하하여 수하주에게 인도하기까지 필요한 서류

○ B/L 또는 L/G, 화물인도지시서(D/O), 화물인수증(Cargo Boat Note), 해난보고서(Sea Protest), 창구검사보고서(Hatch survey report), 손상화물검사서(Damage cargo survey report), 화물과부족조사서(Tracer) 등이 있음

1) 화물선취보증장(L/G : Letter of Guarantee) : 선하증권 원본 대신 제출하고 화물을 인수할 수 있는 서류

2) 화물인도지시서(D/O : Delivery Order) : B/L이나 L/G를 근거로 화물을 인도지시하는 서류

3) 화물인수증(Cargo Boat Note) : 세관원이나 검수원이 M/F과 대조하여 발행하는 서류

4) 해난보고서(Sea Protest) : 항해 도중의 악천후로 인하여 선체에 손상이 있거나 선창 내의 화물에 손상이 우려될 때 선장이 입항한 항에서 항해일지를 근거로 한 해난보고서(Sea protest)를 작성하고 선장이 행정관청 또는 외국의 경우, 공증인에게 출두하여 그 보고서에 대한 증명을 청구할 수 있다. 이 서류의 목적은 선박이 항해 중 황천에 조우하였다는 사실을 확인해 두고자하는 것으로 손상이 발생한 경우, 해상고유의 위험에 의한 것임을 주장할 수 있는 근거가 된다.

5) 창구검사보고서(Hatch survey report) : 선창내의 화물 손상이 예상되는 경우 양하작업 시작되기 전에 해사감정인에게 검사를 의뢰한다.

6) 손상화물검사서(Damage cargo survey report) : 선적화물이 손상된 경

우 원인, 정도 등을 감정하기 위해 실시하는 검사이다.

7) 과부족조사서(Tracer) : 화물의 과부족시 노선상의 각지점 및 대리점에 송부하여 조사를 의뢰하고 양륙재조사 보고서를 작성하여 회신한다.

※ 화물적부감정서(선적後)→창구검사보고서(양하前)→손상화물감정서(양하後)

□ **"본선인수증"에 대해 설명하시오?** ★[검수사]

○ M/R(Mate's receipt), 선적이 완료된 후 검수, 검량에 의해 본선측에서 작성하여 송화주 또는 하역업자에게 교부하는 서류. B/L은 M/R을 기초로 하여 작성됨

※ 여기에서 mate는 항해사를 말함. 구체적으로는 일등항해사를 지칭한다.

□ **D/R과 M/R의 차이는?** ★★[감정사]

○ D/R과 M/R 모두 화물을 받았음을 표시하는 서류이다.

○ D/R(Dock Receipt)은 화물이 부두에 입고되면 선사측인 부두운영자가 발행하는 서류이다.

○ M/R(Mate's Receipt)은 본선에 화물이 반입된 후에 본선 1등 항해사가 발행하는 서류이다.

○ 두 수취증 모두 선사나 본선에서 화주에게 화물수취의 증거로 교부해주는 서류로 발행시기와 발행자에서 차이가 있다.

□ **"Dock Receipt"는 무엇이고 누가 발행 하는가?** ★[감정사]

○ D/R(Dock Receipt, 부두수취증)은 CY 또는 CFS의 운영자가 발행한다. 반입된 컨테이너는 CY 또는 CFS로 반입되고 부두수령증에 서명을 받는다.

○ D/R은 컨테이너 운항선사의 부두에 화물이 입고되면 부두운영자가 화물을 받고 발행하는 서류이다. 화물의 과부족이나 손상이 있는 경우 적요란에 그 내용을 기입한다.

□ **선적지시서(S/O)와 화물인도지시서(D/O)에 대해 설명하시오?**★[감정사]

○ 선적지시서(Shipping Order)는 화주의 선적요청서에 따라 선사가 화물을 인수한 다음 본선의 1항사 앞으로 발행하는 화물적재 지시서이다. 1항사는 이것을 근거로 화물을 적재하고 본선수령증(M/R)을 작성하여 화주에게 교

부한다.

○ 화물인도지시서(Delivery Order)는 선사가 수화주에게 B/L이나 L/G(화물선취보증장)을 받고 본선에 화물의 인도를 지시하는 서류이다. 컨테이너 운송의 경우는 선사가 화물보관자인 CFS 또는 CY업자에게 D/O 지참인에 한해 화물을 인도할 것을 지시하는 서류를 말한다.

□ "Cargo Tracer"는 무엇이며 누가 발행하는가? ★★[감정사]

○ 화물 과부족 조사서라고 한다. 줄여서 Tracer라고도 한다.

○ 특정 양하지의 선박대리점에서 발행하며 글자 그대로 화물을 추적하는 서류이다. 양하작업 후 화물의 과부족이 발견되었을 때 이 조사서를 작성하여 노선상의 각 지점에 송부하면 각 지점은 이 서류를 참조하여 양하된 화물을 확인하여 본래의 목적항으로 운송한다.

□ 화물 과부족 보고서(Cargo Over Landed/Short Landed Report)란 무엇인가? ★[감정사/검수사]

○ 화물 과부족 보고서는 양하시 작성하는 보고서이다.

○ 과부족이 있는 화물에 대하여 선하증권별로 기입하며 과부족을 명시한다. 화물과부족이 생겼을 경우 선하증권에 첨부한다.

○ 적요란에는 적하지에서 화물을 선적하지 않았으면 "Short shipped at loading port" 그리고 육지쪽에서 재검수를 요할 때에는 "In dispute"로 각각 기록한다.

□ Final Out Turn & Exception Report란 무엇인가? ★[감정사]

○ 양하지 화물검사 및 화물손상보고서이다.

1) Out turn report(양하지 검사 보고서) : 선박회사의 대리인으로서 CFS (Container Freight Station) 또는 CY(Container Yard) 운영업자가 적재 선명별로 인도시의 화물상태를 일람표에 정리하여 선박회사에 제출하는 서류이다. 선박회사는 Out turn report에 의해 화물의 멸실, 손상의 상태를 파악하고 그 대응책을 세우기 위한 자료로 사용함과 동시에 추후 수화인으로부터 화물 클레임이 있을 경우, 그 처리를 위한 참고자료로 활용한다.

2) Exception List : 컨테이너 화물 등에 이상이 있는 것을 정리한 것을 "Exception List"라 한다. 이것은 터미널 및 CY 또는 CFS 운영업자가 선박회사를 대리하여 적재할 선박별로 화물을 인수받을 때 화물에 이상이 있을 때 Dock Receipt에 그 내용을 기재하게 된다. 이것을 기초로 하여 Exception List라 한다.

3) 종합하면 화물의 총괄표이며 화물의 과부족과 파손상태, 책임소재를 확인하는 서류를 "Final Out Turn & Cargo Exception Report(양하지 화물검사 및 화물손상(이상유무)보고서)"라 한다.

□ **CFS에 대해서 설명하시오?** ★★★[감정사/검량사/검수사]

○ Container Freight Station의 약자이며 소량 컨테이너 화물 집합소이다. LCL(Less than Container Load Cargo) 화물을 모아서 하나의 컨테이너로 구성하기 위한 장소이다.

○ 수출의 경우 컨테이너 1개에 만재하지 못하는 소량화물을 지정된 장소에서 집결하고 이를 양하지별로 구분해서 컨테이너에 넣어야 한다.(적입)

○ 수입의 경우에는 혼재화물을 컨테이너에서 꺼내어 수하인마다 분할하여 인도하여야 한다.(적출) 선박회사측이 이런 작업을 하는 장소를 CFS라 부른다.

○ CFS 위치는 선박회사가 지정하는 장소로 되어 있으며 우리나라의 경우 세관의 허가를 받은 지정된 장소이어야 한다.

□ **FCL과 LCL에 대해 설명하시오?** ★★[감정사/검량사/검수사]

○ 컨테이너로 운송되는 화물은 운송형태에 따라 FCL(Full container load cargo)과 LCL(Less than container load cargo)로 분류

○ FCL은 하나의 컨테이너에 단일 화주의 화물이 적입되어 운송되는 형태로서 일반적으로 화주가 직접 공장 또는 창고에서 적입을 완료하여 CY로 반입하는 형태이다.(줄여서 CL화물이라고도 한다)

○ LCL은 하나의 컨테이너에 여러 화주의 물건들이 혼합되어 적재되는 것을 말한다. 이러한 작업을 하는 곳이 CFS(Container Freight Station)이다.

□ 컨테이너 화물의 육상운송을 위한 적입절차에 대해 설명하시오?

★[감정사]

○ 컨테이너로 운송되는 화물은 운송형태에 따라 FCL(Full Container Load Cargo)과 LCL(Less than Container Load Cargo)로 분류된다.

○ LCL화물을 수취하여 컨테이너에 혼재하는 장소를 CFS(Container Freight Station)라고 부르며 목적지에 도착된 때에도 CFS에서 화물을 컨테이너에서 꺼내어 수화주에게 인도한다. 따라서 인도서류도 FCL과 LCL에 따라 다르다.

○ LCL은 하나의 컨테이너에 화주 한 명의 물건으로는 꽉 채울 수가 없어 여러 화주의 물건들이 혼합해서 적재되는 것을 말한다. 이러한 LCL은 주로 CFS에서 여러 화주의 화물을 모아 컨테이너에 싣는 작업을 진행한 후 선적하는 과정을 거치게 되며 LCL의 경우 CFS에서 화물을 모아 싣는 작업이 이뤄지기 때문에 별도의 비용이 추가적으로 발생하게 된다.

* 수입화물의 경우 컨테이너를 개방하여 혼재된 화물을 개별 수하인에게 전달하기 위한 적출과정을 거친다.

○ FCL은 하나의 컨테이너에 단일화주의 화물이 적입되어 운송되는 형태로서 일반적으로 화주가 직접 공장 또는 창고에서 적입을 완료하여 터미널 내의 컨테이너 야적장(CY)에 반입한다.

□ CFS에서 이루어지는 구체적인 절차에 대해 설명하고 여기에서 취급하는 화물은?

★★[감정사]

○ CFS에서 이루어지는 화물은 LCL(Less than container load)화물로써 하나의 컨테이너에 화주 한 명의 물건으로는 꽉 채울 수가 없어 여러 화주의 물건들이 혼합해서 적재되는 것을 말한다.

* 수출은 적입, 수입화물인 경우에는 적출

○ 이러한 LCL은 CFS(Container Freight Station)에서 여러 화주의 화물을 모아 컨테이너에 싣는 작업을 진행한 후 선적하는 과정을 거치게 되며 LCL의 경우 CFS에서 화물을 모아 싣는 작업이 이뤄지기 때문에 별도의 비용(container service charge)이 추가적으로 발생하게 된다.

□ 컨테이너 수출화물의 반출 절차는? ★★[감정사/검량사/검수사]

○ LCL화물은 CFS로 가서 컨테이너화 한 후 CY로 이동하고 FCL화물은 CY

로 바로 이동한다.

○ CFS(Container Freight Station) → CY(Container Yard) → Marshalling Yard(컨테이너가 배에 실리는 순서대로 쌓아두는 곳) → Apron(화물의 하역작업에 필요한 크레인 등이 설치된 장소)

□ 감정사가 서명(사인)할 수 있는 서류는 무엇이 있는가? ★[감정사]

○ 감정사는 선박회사, 화주, 보험사 및 기타 제3자 등의 의뢰로 중립적 위치에서 공정하게 조사, 계산, 확정 및 증명서 발급한다.

1) 화물, 선박, 운송기기, 해운과 관련된 수량, 용적, 중량, 상태, 품질, 손상 및 손해에 대한 조사, 검사, 사정, 입증 및 증명서 발급

2) 국외적인 분쟁, 손해 등의 발생시에는 외국 의뢰자들은 감정보고서(marine surveyor's report)를 요청함으로서 제3자의 검정인로서의 법적효력을 충족하고 있다.

○ 선박의 감항성과 화물적부검사가 이상 없었다는 것을 입증하기 위해 창구검사, 적부검사, 냉장고검사 및 창내소제 검사 등을 Surveyor(감정인)의 검사감정에 의하여 발행한다.

○ 감정사는 본선 또는 창고에 있는 손해화물의 현상을 조사하여 그 손해의 원인 및 손해의 정도를 감정하여 손해감정보고서(Damage Survey Report)를 작성한다. 이 보고서는 손해의 책임과 배상금의 결정에 유력한 근거가 된다.

○ 보험에 들어 있는 화물의 손해는 보험계약에 의하여 보험회사가 손해를 전보하나 이때에도 손해의 원인과 손해액의 결정을 위하여 감정인(Surveyor)의 감정을 구하며 감정사는 이에 대한 보고서를 작성한다.

□ 감정사가 선박에서 작성할 수 있는 보고서는 무엇인가? ★[감정사]

○ 화물의 운송에 있어 감정사가 작성할 수 있는 보고서는 화물적재후 「화물적부감정서」, 화물 양하전 「창구검사보고서」, 화물 양하후 「손상화물감정서」 등으로 구분할 수 있다.

○ 화물적부감정서(Stowage Survey Report) : 해상운송에서 화물의 손상 및 클레임의 발생에 대비하여 본선에 화물을 적재한 후 감정인에게 화물적부상태의 감정을 의뢰한다. 적부상태에 대하여 감정결과 이상이 없다는 감정인의 감정증명서를 받는데 이 증명서를 적부감정서라고 한다.

○ 창구검사보고서(Hatch Survey Report) : 선창 내의 화물에 손상이 발생한 것으로 예상되는 경우, 양하가 시작되기 전에 본선의 요청에 의해 해사감정인(Marine Surveyor)이 승선하여 화물창의 창구에 대해 실시하는 검사이다. 항해일지 등을 참고하여 창구 및 창구의 폐쇄상태를 검사하는 것으로서 이상이 있는 경우에는 그 원인이 황천에 의한 것인지의 여부에 관해 감정을 받아 손상원인이 황천에 의한 것인 경우, 해상고유의 위험에 따른 불가항력으로 운송인의 면책을 주장할 수 있는 근거로 활용된다.

○ 손상화물감정서(Damage Cargo Survey Report) : 선적화물이 손상된 경우에 있어 그 원인, 정도 및 성질 등을 감정하기 위해 실시하는 검사이다. 일반적으로 양하가 이루어진 직후에 운송인과 수화주가 합의하여 의뢰한 검정인에 의해 수행되며, 필요한 경우 보험회사 직원이 입회하여 손해의 처리에 대비한다.

※ 위의 문제처럼 「감정사가 사인(Sign)할 수 있는 서류」와 「작성할 수 있는 보고서」는 같은 내용이다.

□ "(화물)적부감정서"는 누가 작성하며 어떻게 쓰이는가? ★★[감정사]

○ Cargo stowage survey report.

○ 해상운송에서 화물의 손상 및 클레임의 발생에 대비하여 본선에 화물을 적재한 후 감정인(surveyor)에게 화물의 적부상태의 감정을 의뢰한다. 적부상태에 대하여 감정결과 이상이 없다는 감정인의 감정증명서를 받는데 이 증명서를 화물적부감정서라고 한다.

○ 화물적부검사 결과 이상이 없었다는 것을 입증하기 위해 창구검사, 적부검사, 냉장고검사 및 창내소제검사 등을 Surveyor(감정인)의 감정에 의하여 발행되어 입증한다

※ (화물)적부감정서는 선적을 마친후에 실시하고, "창구검사보고서"는 하역전에 실시한다.

□ 선박운항자가 화물사고 발생시 면책받기 위한 증거서류는 무엇인가? ★★[감정사]

○ 화물을 선박에 적재한 후 "화물적부감정서"를 양하지에 도착하여 화물양하 전에 실시하는 "창구검사보고서", 양하가 이루어진 이후에 실시하는 "손상화

물감정서” 등이 있다.

○ 화물적부감정서(Stowage Survey Report) : 해상운송에서 화물의 손상 및 클레임의 발생에 대비하여 본선에 화물을 적재한 후 감정인에게 화물적부상태의 감정을 의뢰한다. 적부상태에 대하여 감정결과 이상이 없다는 감정인의 감정증명서를 받는데 이 증명서를 (화물)적부감정서라고 한다.

○ 창구검사보고서(Hatch Survey Report) : 선창 내의 화물에 손상이 발생한 것으로 예상되는 경우, 양하가 시작되기 전에 본선의 요청에 의해 해사감정인(Marine Surveyor)이 승선하여 화물창의 창구에 대해 실시하는 검사이다. 항해일지 등을 참고하여 창구 및 창구의 폐쇄상태를 검사하는 것으로서 이상이 있는 경우에는 그 원인이 황천에 의한 것인지의 여부에 관해 감정을 받아 손상원인이 황천에 의한 것인 경우, 해상 고유의 위험에 따른 불가항력으로 운송인의 면책을 주장할 수 있는 근거로 활용된다.

○ 손상화물감정서(Damage Cargo Survey Report) : 선적화물이 손상된 경우에 있어 그 원인, 정도 및 성질 등을 감정하기 위해 실시하는 검사이다. 일반적으로 양하가 이루어진 직후에 운송인과 수화주가 합의하여 의뢰한 검정인에 의해 수행되며, 필요한 경우 보험회사 직원이 입회하여 손해의 처리에 대비한다.

○ 그리고 항해 도중의 악천후로 인하여 선체에 손상이 있거나 선창 내의 화물에 손상이 우려될 때 선장이 입항한 항에서 항해일지를 근거로 한 “해난보고서(Sea Protest)”를 작성하고 선장이 행정관청 또는 외국의 경우, 공증인에게 출두하여 그 보고서에 대한 증명을 청구할 수 있다. 이 서류의 목적은 선박이 항해 중 황천에 조우하였다는 사실을 확인해 두고자 하는 것으로 손상이 발생한 경우, 해상고유의 위험에 의한 것임을 주장할 수 있는 근거가 된다. 이전에는 해난에 의한 각종 손해에 대해 보험 구상을 하는 과정에서 해난보고서가 제출되었으나 현재는 그다지 중요시 되고 있지 않다.

※ (화물적부감정서, 창구검사보고서, 손상화물감정서) + 해난보고서

☞ ‘선박운항자’, ‘해상운송인’, ‘선사’, ‘선주’ 등 다양한 표현을 숙지하여야 한다. 또는「운송인의 면책서류」가 무엇인가? 라고 질의 할 수 있다.

□ L/C는 무엇이며 누가 발행하는가? ★[감정사]

○ Letter of Credit. 신용장이라고 한다.

○ 신용장은 수입상의 거래은행이 수입업자의 요청으로 수출상으로 하여금 일정기간 내에 신용장에 기재된 일정조건하에서 선적서류 등을 제시하면 은행이 대금을 지급하겠다고 약속하는 '은행의 조건부 지급확약서' 이다.

○ 수입업자가 발행하며, 계약이 체결된 후 계약상 신용장에 의해 대금결제를 하기로 한 경우 자국의 거래은행을 통해 수출업자의 거래은행 앞으로 신용장을 발행한다.

□ L/C 관련 요구하는 선적 서류는? ★[감정사]

○ 계약이 체결되면, 수입업자는 계약상 신용장에 의해 대금결제를 하기로 한 경우, 자국의 거래은행을 통해 수출업자의 거래은행 앞으로 신용장(Letter of Credit ; L/C)을 개설한다. 개설은행은 수출상을 수익자로 한 신용장을 수출자 측의 통지은행에 송부한다. 수출업자는 통지은행에 L/C가 도착하면 L/C를 찾아 계약내용과 일치하는지 여부를 확인한다.

○ L/C에서 요구하는 서류는 수출자는 ① 선하증권(운송서류), ② 상업송장(거래명세서), ③ 포장명세서(선적상태), ④ 보험증권(위험회피), ⑤ 원산지증명서(관세혜택) 등 L/C에서 요구되는 서류를 지정된 통지은행에 제출하고 수출 대금을 수령한다.

☞ 수출자는 대금을 회수하기 위해 L/C에서 요구되는 서류를 지정된 통지은행에 제출하게 되는데 이때 제출해야 하는 서류의 종류는? ① B/L(선하증권) ② Commercial Invoice(상업송장) ③ Packing List(포장명세서) ④ 보험증권 ⑤ 원산지 증명서

□ L/C, L/G, L/I를 구분하여 설명하시오? ★[감정사]

○ L/C(신용장, Letter of Credit) : 특정은행이 수입업자의 지불능력을 보증하는 증서이다.

○ L/G(화물선취보증장, Letter of Guarantee) : 선하증권 원본 대신 제출하고 화물을 인수할 수 있는 서류이다.

○ L/I(보상각서, Letter of Indemnity) : 송화인의 화물이 이상이 있을 때 Foul B/L이나 Dirty B/L을 받을 것이 예상될 때 보상각서를 제출하고 Clean B/L을 교부 받을때 제출하는 서류이다. 비정상적 관행이다.

💡 **참고자료 - 인코텀즈(Incoterms)**

1. **Incoterms(정형거래조건)** : 국제상업회의소(ICC : International Chamber of Commerce)가 제정한 무역조건의 해석에 관한 국제규칙. 선적지 인도조건 8개와 양륙지 인도조건 3가지로 구성되어 총 11개의 무역조건이 있음. Incoterms 2020으로 개정되면서 DAT(Delivered At Terminal)가 삭제되고 DPU 신설 및 CIP의 보험부보 범위가 최소에서 최대로 변경되었다.

1) 복합운송 조건 : EXW, FCA, CPT, CIP, DAP, DPU, DDP

2) 해상운송 조건 : FAS, FOB, CFR, CIF

* (E, F계열) 매수인이 운송계약, 매수인이 비용부담
* (C, D계열) 매도인이 운송계약, 매도인이 비용부담
* (Carriage) 복합운송에서 사용되는 운송비용 (Freight) (해상)운임

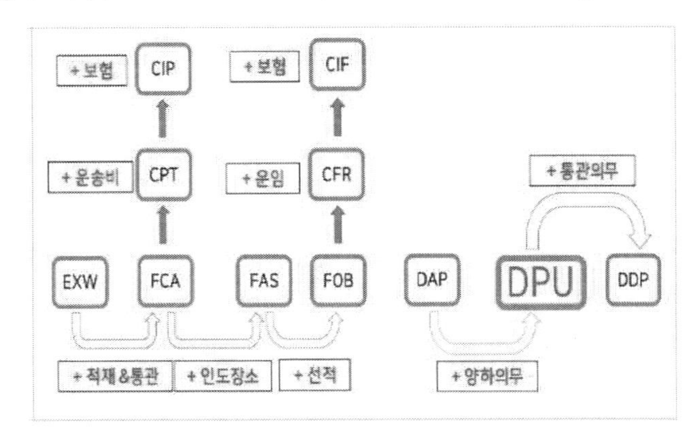

2. **복합운송규칙**

1) EXW(Ex Work, **공장 인도조건**) : 매도인은 구역(공장, 창고 등)에 물건만 내놓으면 나머지는 매수인이 화물을 인도(수출, 수입통관, 운임, 보험 등)해가는 조건. 매도인 입장에서 가장 편리한 조건

2) FCA(Free Carrier, **운송인 인도조건**) : 매도인이 수출통관을 이행하고 약속한 장소에서 물품을 운송인에게 인도해주는 조건

3) CPT(Carriage Paid To, **운임지급 인도조건**) : 매도인이 수출통관을 이행하고 약속한 장소에서 물품을 운송인에게 인도해주며 매도인이 목적지까지 운송비를 지급

4) CIP(Carriage and Insurance Paid To, **운임&보험료지급 인도조건**) :

매도인이 수출통관을 이행하고 약속한 장소에서 물품을 운송인에게 인도해주며 매도인이 운송비와 보험료를 부담 ※ 2020개정으로 CIP조건에서 최대담보범위(ICC(A))로 보험부보

5) DAP(Delivered At Place, **목적지 인도조건**) : 매도인이 수입국의 목적지까지 물품을 인도해야 하며 수출통관을 하고 운송계약을 체결하고 수입국에 도착해서 "물건을 양하하지 않은 상태로" 매수인에게 인도. 수입통관은 매수인이 책임

6) DPU(Delivered At Place Unloaded, **목적지 양하인도조건**) : DAP+물품양하 조건. 수입통관은 매수인이 책임

7) DDP(Delivered Duty Paid, **관세지급 인도조건**) : DAP+통관의무 조건. 수출통관, 운송수배, 수입통관, 관세지급 등 모든 비용을 부담하고 수입국의 지정장소에서 매수인에게 물품을 인도하는 조건. 단, 매도인이 수입국 목적지에서 물품을 양하(unload)할 의무는 없음. ※ DDP조건은 EXW조건과 반대로 매도인이 모든 업무를 수행

3. **해상운송규칙**

1) FAS(Free Along Side Ship, **선측 인도조건**) : 선박의 선측에서 매수인이 화물을 인수하게 되는 무역조건. 매수인은 지정항구에서 본선 하역장비의 Tackle(기중기)의 도달거리에서 화물을 인수한 후, 모든 비용과 위험을 부담하게 되므로 그때부터 적하보험계약의 책임이 개시된다.

2) FOB(Free On Board, **본선 인도조건**) : 수입상이 지정 수배한 선적항의 본선상에 화물을 인도시켜주는 화물 매매조건. 본선선적 이후의 모든 비용과 위험은 수입상이 부담하여야 하므로 이때부터 적하보험의 담보효력이 발생함. 매도인은 창고에서 본선까지의 위험은 따로 부보하여야 함. FOB 수출의 경우에 Incoterms 상으로 매수인이 보험을 붙이도록 하였기 때문에 매도인으로서 전혀 보험에 관심을 갖지 않으면 무보험상태가 되는 구간이 발생할 수 있음

3) CFR(Cost & Freight, **운임포함조건**) : 목적지 항구까지의 운임을 매도인(수출상)이 부담하는 조건. 적하보험의 부보의무는 수입상에게 있는 매매조건

* FOB와 CFR인 경우 Incoterms에 따르면 매도인과 매수인간의 화물에 대한 위험분기점을 화물이 본선의 난간을 통과하는 시점으로 규정. 따라서 피보험이익이 이전되는 시점 또한 이 시점 이후이다.

4) CIF(Cost, Insurance and Freight, **운임&보험료 포함조건**) : 매도인(수출상)이 자기비용으로 보험료와 운임을 부담하는 조건. CIF조건에서는 선적지의 선적대기 장소에서 선적을 하기 위해 떠날때 부터 적하보험의 담보효력이 개시되며 선박에 선적을 종료하면 그 선적통지를 수입상에게 해주고 보험증권도 동시에 양도하게 된다. 따라서 보세창고에서 선박까지는 매도인(seller)자신이 위험을 담보하고 본선에 선적된 후부터는 매수인(buyer)에게 보험증권을 양도함으로서 계속해서 효력이 발생하여 최종 수화주 창고까지 담보되는 것으로 창고약관(warehouse to warehouse clause)이 그대로 적용된다는 사실을 알 수 있다.

※ 인코텀즈의 이해를 돕기 위한 YouTube 컨텐츠("인코텀즈 2020 한방에 정리하기")를 추천합니다.

□ INCOTERMS 2020에 대해 설명하시오? ★[감정사]

○ 국제상업회의소(ICC : International Chamber of Commerce)에서 제정한 규칙이다. 정식명칭은 "무역조건의 해석에 관한 국제규칙(International Rules for the Interpretation of Trade Terms)으로 이를 다시 International Commercial Terms로 줄여 INCOTERMS라 부른다. INCOTERMS에는 11개의 무역조건이 있다.

○ 인도조건으로 구분하였을 경우, 선적지 인도조건 8개(FAS, FOB, CFR, CIF, EXW, FCA, CPT, CIP)와 양륙지 인도조건 3가지(DAP, DPU, DDP)로 구성되어 총 11개의 무역조건이 있다.

○ 운송조건으로 구분하였을 경우, 복합운송 조건은 7개(EXW, FCA, CPT, CIP, DAP, DPU, DDP), 해상운송 조건은 4개(FAS, FOB, CFR, CIF)로 구성되어 총 11개의 무역조건이 된다.

□ CIF 조건에 대해 설명하시오? ★★★[감정사]

○ Cost, Insurance and Freight, 운임&보험료 포함조건이다.

○ INCOTERMS에서 인도조건으로는 선적지 인도조건, 운송조건으로는 해상운송 조건에 해당한다.

○ 수출상이 자기비용으로 보험료와 운임을 부담하는 화물매매조건이다

○ 매도인이 수입상에게 물건을 인도하기까지 물품 선적에서 목적지까지 비용(C)과 목적항 도착까지의 운임(F), 보험료(I) 일체를 부담한다.

○ CIF조건에서는 선적지의 선적대기 장소에서 선박에 선적을 하기 위해 떠날 때부터 적하보험의 담보효력이 개시되며, 선박에 선적을 종료하면 그 선적통지를 수입상에게 해주고 보험증권도 동시에 양도하게 된다.

○ 보세창고에서 선박까지는 매도인(Seller) 자신의 위험을 담보하고 본선에 선적된 후부터는 매수인(Buyer)에게 보험증권을 양도함으로서 계속해서 효력이 발생하여 최종 수화주 창고까지 담보되는 것이므로 창고약관(warehouse to warehouse clause)이 그대로 적용된다.

□ CIP 조건에 대해 설명하시오? ★★[감정사]

○ Carriage and Insurance Paid to, 운임&보험료 지급 인도조건이다.

○ INCOTERMS에서 인도조건으로는 선적지 인도조건, 운송조건으로는 복합운송 조건에 해당한다.

○ 매도인(수출인)이 수출통관을 이행하고 약속한 장소에서 물품을 운송인에게 인도해주며 매도인이 운송비와 보험료를 부담한다.

○ 2020년 인코텀즈 개정으로 CIP조건에서 최대담보범위로 보험을 부보한다.

□ 선하증권에 대해 설명하시오? ★★★[감정사]

○ B/L, Bill of Lading이라고 하며 한다.

○ 송하인(매도인, 수출자) 또는 용선자가 운송물을 운송하기 위하여 운송인인 선사에게 인도한 경우에 선사가 발행하는 증권이다.

○ 운송물을 인도하였다는 증거가 되고 목적지에서 선하증권과 상환하여 운송물의 인도를 받는 권리를 표창하는 유가증권을 말한다.

○ 선하증권은 운송물을 수령하거나 적재한 후에 용선자 또는 송하인의 청구에 의하여 선박소유자가 발행하는 의무를 부담하나 실제상은 운송물의 선적 전

에도 발행되는 경우도 있다.

□ **선하증권은 누가 발행하는가?** ★[감정사]

○ 송하인(매도인, 수출자) 또는 용선자가 운송물을 운송하기 위하여 운송인인 선사에게 인도한 경우 송하인의 청구에 의하여 1통 또는 수통의 선하증권을 교부 한다.

□ **선하증권의 기능에 대해 설명하시오?** ★★[감정사]

1) 화물의 수령증(B/L as a receipt of the goods) : 선하증권은 운송인이 선하증권에 기재된 화물(종류, 상태, 수량 등)을 약정된 목적지까지의 운송을 위하여 특정선박에 선적하였거나 또는 최소한 선적을 위하여 운송인의 지배 아래로 수령하였음을 인증하는 수령증서로서의 기능이 있다.
2) 운송계약의 증서(evidence of the contract of carriage) : 선하증권은 그 자체가 운송계약이 아니다. 운송계약은 불요식 낙성계약으로 반드시 어떤 요식이나 운송계약서의 작성이 필요한 것은 아니다. 용선운송의 경우 계약서를 작성하는 것이 통례이나 정기선의 개품운송에서는 별도의 계약서를 작성함이 없이 선하증권만 작성되고 그것이 운송을 의뢰한 자와 운송인간에 운송계약이 체결되었음을 증명하는 증거서류이다. 선하증권은 발행이전에 성립한 운송계약의 내용과 조건을 구체적으로 반복하는 운송계약의 증거로서의 기능을 갖는다.
3) 화물에 대한 권리증권(document of title to the goods) : 선하증권은 그 자체가 화물을 대표하는 권리증권으로서 선하증권의 정당한 소유가 곧 선하증권기재의 화물에 대한 권리를 소유하는 것과 동일함을 법률로 보장받고 있다. 따라서 운송중인 화물이라도 선하증권 자체를 양도, 매각하거나 질권을 설정하여 경제적 가치를 직접 활용할 수 있다. 선하증권은 화물을 상징하며 선하증권의 양도는 증권에 기재된 물품을 양도하는 것과 동일하다.

   * 질권(質權) : 저당권과 함께 금융을 얻는 수단으로 이용되지만 목적물에 대한 점유가 채권자에게 이전된다는 점과 목적물의 종류에서 차이를 보인다. 질권 목적물은 동산, 양도할 수 있는 권리(채권, 주식, 특허권) 등으로 부동산은 해당되지 않는다(질권의 대표적인 것인 전당포이다.)

□ 선하증권의 경제적 기능(효용)은? ★★★[감정사]

1) 무역상품대금의 결제수단 : 선하증권은 상품의 대금을 받는 필수적 서류역할을 수행한다. 매매계약으로 약정된 여러 가지 주요내용(물품의 종류, 수량, 수취 또는 선적지 및 일자 등)이 증명될 뿐만 아니라 그 자체가 법적으로 유가증권적 지위를 보호받고 있기 때문이다. 매도인은 물품과 대금자체를 동시에 수도하는 것이 아니라 선하증권을 첨부하여 수화주 앞으로 화환어음을 발행하고 이를 은행에 매입시켜 상품대금을 지급받으므로 선하증권은 국제무역에서 상품대금의 결제수단으로서의 역할을 한다.

   * 화환(貨換)어음 : 매도인이 먼 곳에 있는 매수인에게 상품을 보내면서 그것을 담보로 하여 발행하는 어음

2) 운송물품(대금)의 담보수단 : 선하증권을 첨부한 화환어음을 매입하고 매도인에게 상품대금을 지급한 은행(매입은행)이 동 서류를 개설은행에 보내면 그 개설은행은 매수인으로 부터 상품대금을 받아 수출지의 매입은행에게 지급하여야 한다. 만약 이때 신용장 개설자인 매수인이 물품대금을 지급하지 않는다면 개설은행은 그에게 선하증권을 양도하지 않을 것이며 개설은행이 선하증권을 소지하고 있는 한 선하증권에 기재된 물품에 대한 담보권이 계속된다.

3) 무역조건에 따라 서류에 의한 거래 가능 : 매도인이 매수인에게 선적선하증권을 제공함으로서 물품을 제공한 것과 같은 효과를 발휘하게 된다. 선하증권은 서류에 의한 거래(symbolic transaction)을 가능케 하는 역할을 한다.

4) 운송중의 화물의 전매가능 : 선하증권은 권리증권으로서 증권의 인도가 곧 증권기재의 화물을 인도하는 것과 같은 효력에 기하여 수화주(선하증권 소지인)는 그 선하증권을 매매하는 방법으로써 도착화물을 매매할 수 있음은 물론, 운송중의 화물에 대하여도 전매를 가능케 한다.

□ 선하증권(B/L)의 종류 3가지 이상 한글과 영어로 말하시오? ★[검수사]

○ 선적 선하증권(On board B/L) ↔ 수령 선하증권(Received B/L

○ 지시식 선하증권(Order B/L) ↔ 기명식 선하증권(Straight B/L)

○ 무유보 선하증권(Clean B/L) ↔ 유보 선하증권(Foul B/L)

※ 반대적인 개념이 아니라 서로 비교대상이 되는 선하증권을 표현한 것임

□ **통선하증권과 복합선하증권에 대해 설명하시오?** ★[감정사]

○ 운송인의 운송책임구간에 의한 분류기준으로 오션선하증권과 통선하증권으로 구분함

○ Ocean B/L(오션 선하증권) : 운송인이 선박에 의한 해상운송구간(sea port ⇔ sea port)만의 운송을 인수한 경우, 이를 커버하는 선하증권

○ Through transport B/L(통 선하증권) : 하나의 운송계약화물이 수령지에서 목적지까지 운송되는 동안, 운송을 인수한 운송인이 그의 책임으로 同種 또는 異種 운송수단(예; 선박+기차)을 연계하여 운송을 완성하는 경우에 발행되는 선하증권.

○ 통선하증권의 종류에는 '단일운송 선하증권'과 '복합운송선하증권'이 있음

1) Unimodal Transport B/L(단일운송 선하증권) : 일관운송을 인수한 운송인이 그의 책임으로 화물의 수령지에서 인도지까지 운송하는 동안 동종의 운송수단을 결합(예; 수령지에서A선박에 선적+연계지에서 B선박 또는 C선박으로 환적)하여 목적지까지의 일관운송계약을 완료시킬 것을 증명하는 선하증권

2) Multimodal(or Combined) Transport B/L(복합운송선하증권) : 화물의 수령지에서 인도지까지의 운송을 단일운송인의 책임으로, 단일운임으로, 두가지 이상의 이종운송수단(예; 선박+기차 또는 자동차)을 결합하여 복합운송계약을 완료시킬 것을 증명하는 선하증권을 말한다.

3) Domestic B/L(Local B/L) : 화물의 운송구간(선적항 및 양륙항)이 동일국가 내인 경우에 발행되는 선하증권

□ **양하지 변경이란 무엇인가?** ★[감정사]

○ 선하증권에 기재된 양하항과 다른 항에 양하하는 것을 양륙지 변경, 양하지 변경(Change of Destination), 또는 항구변경이라고 하고 이 경우에 청구되는 비용을 양륙지 변경료(Diversion charge)라 하며 양하항 변경화물을 Diversion cargo라 한다.

* Change of Destination = Alteration of Destination

○ 해상운송중에 화주의 양륙항에 대한 변경요청이 들어올 경우 환적이나 기타 절차 없이 화주의 상품이 선적된 상태로 유지할 수 있거나 출항의 지연이 없는 경우에 한하여 선사 측은 하주(또는 수하인)의 요청을 승낙한다.

※ 양지(揚地)변경화물(cargo change destination)이 선적한 뒤에 양하지가 변경된 화물임에 반해 '양지(揚地)선택화물(optional cargo)는 화물의 양하지가 선적시까지 확정되지 아니하여 두 항구 이상의 지점을 양하지로 하여 선적되는 화물로서, 보통 선박이 최초의 양하항에 입항하기 24시간 이전에 양하항을 본선에 알려야 한다.

□ **일반적요와 현재적요에 대해 설명하시오?** ★★[검량사]

○ 선적전에 기재되는 적요를 일반적요, 선적시에 화물의 상태에 의하여 현재의 사고가 있거나 앞으로 운송중에 사고발생의 우려가 있는 것을 고려하여 기재되는 적요를 현재적요라 한다.

○ 일반적요(General remark) : 선적화물은 외관상 양호한 상태(Apparent Good Order and Good Condition)로 적부되는 것이 원칙이다. 선측 수도는 외장의 수도이므로 외견적으로 외장이 완전한 화물은 무사고 적요(No remark)로 수도 되지만 화물 종류 또는 포장 상태에 따라 운반기간 중 내품의 변질, 파손, 외부포장의 파손 등 예상치 못한 손상 혹은 사고가 생길 우려가 있으므로 이에 대비하여 부기하는 적요를 일반적요라 한다. 일반적요에 대한 적용은 선적지시서를 발행할 때 기재되고 있고 이 경우 선사, 하주측과 협의하여 본선수취증(M/R)에 기재하여야 한다.

* 수도(受渡) : 화물을 인수(引受), 인도(引渡)하는 것

○ 현재적요(Conditional or Exceptional remark) : 발생하고 있는 화물사고에 대하여 그 현상에 따라 기입되는 적요로서 하주의 클레임 등에 대항하여 그의 손해배상의 책임이 면제되는 효력을 가지고 있는 것이며 일반적요는 관습상 기재되는 성질의 것이므로 실제의 화물사고에 대하여서는 본선측에서 선적까지 이미 발생하고 있는 사고라는 것을 증명하는 것이 현재적요이다. 현재의 화물상태로 보아 당연히 사고가 발생할 우려가 다분한 화물을 부득이 선적해야하는 경우에는 이러한 요지의 적요를 반드시 기입하여야 하며 필요한 경우에는 적부에 있어서 감정인의 검사를 받고 또 후일에 해난보고서를 제출하면 본선측에 과실이 없었던 것을 증명하는 것이 필요하다.

□ 일반적요에서 N/R은 어떤 의미인가? ★★[검량사]

○ 일반적요(General remark)는 선적화물은 "외관상 양호한 상태(Apparent Good Order and Good Condition)"로 적부되는 것이 원칙이다. 일반적요는 현재적요와 달리 선측수도는 외장의 수도이므로 외견적으로 외장이 완전한 화물은 무사고 적요(No Remark)로 수도되지만

○ 화물종류 또는 포장상태에 따라 운반기간 중 내품의 변질, 파손, 외부포장의 파손 등 예상치 못한 손상 혹은 사고가 생길 우려가 있으므로 이에 대비하여 부기하는 적요를 일반적요라 한다

○ 그래서 일반적요에서는 이를 N/R, 즉 Not Responsible로 선박에서는 책임이 없다는 뜻이다.

☞ 내용품의 파손 또는 이상에 대하여 책임이 없음(N/R for breakage and Condition of contents)

☞ 액체화물, 내용품의 파손, 누손 책임 없음(Liquid cargo, S/N/R for breakage and leakage of contents) * S/N/R : Ship's Not Responsible

※ N/R은 No Remark(무사고 적요)의 뜻도 될 수 있다.

□ 운송인(선박회사, 해상운송인)의 면책사유 3가지 이상 말하시오? ★★★[감정사]

○ 운송인은 다음 각 호의 사실이 있었다는 것과 운송물에 관한 손해가 그 사실로 인하여 보통 생길 수 있는 것임을 증명한 때에는 이를 배상할 책임을 면한다. 다만, 주의를 다하였더라면 그 손해를 피할 수 있었음에도 불구하고 그 주의를 다하지 아니하였음을 증명한 때에는 그러하지 아니하다.(상법 제796조 운송인의 면책사유)

1) 해상이나 그 밖에 항행할 수 있는 수면에서의 위험 또는 사고
2) 불가항력
3) 전쟁 · 폭동 또는 내란
4) 해적행위나 그 밖에 이에 준한 행위
5) 재판상의 압류, 검역상의 제한, 그 밖에 공권에 의한 제한
6) 송하인 또는 운송물의 소유자나 그 사용인의 행위
7) 동맹파업이나 그 밖의 쟁의행위 또는 선박폐쇄
8) 해상에서의 인명이나 재산의 구조행위 또는 이로 인한 항로이탈이나 그 밖

의 정당한 사유로 인한 항로이탈

9) 운송물의 포장의 불충분 또는 기호의 표시의 불완전

10) 운송물의 특수한 성질 또는 숨은 하자

11) 선박의 숨은 하자

□ 선하증권 발행 전 서류의 종류와 그에 대해 설명하시오? ★★[감정사]

① 송화주가 선사나 대리점에 선적요청서(Shipping Request) 제출 → ② 선사가 운송계약 예약서(Booking Note)를 송화주에게 발급 → ③ 선사는 송화인과 본선 1항사에게 선적지시서(Shipping Order)를 발급 → ④ 선적완료 후 본선 1항사(Chief Officer)가 송화인에게 본선수취증(Mate's Receipt)발행 → ⑤ 송화인은 선사에 M/R을 제시하고 송화인의 청구에 의해 선사는 선하증권을 발급한다.

※ B/L 발행순서 : S/R → S/O → M/R → Bill of Lading → M/F

※ 화물 선적전 발행서류 : S/R → B/N(Booking Note) → S/O

☞ 23년 감정사 시험에 「화물의 선적전에 발행하는 서류가 무엇인가?」라는 질문이 있었다.

* 부킹 노트(B/N) : 화물을 선박을 싣기 위하여 선박회사와 미리 약속한 내용을 증명하는 문서
* 부킹 리스트(booking list) : booking note를 기준으로 선적 예정 화물을 적하지, 양하지별로 구분하여 작성한 일람표

□ 컨테이너 적입, 적출시 주의사항 또는 발생할 수 있는 사고는?

★[검수사]

○ 적입(Vanning, Stuffing) 작업이란 컨테이너에 화물을 적재하는 것을 말하며

1) 중량화물을 적입할 때에 화물의 무게가 한쪽으로 집중하는 것을 피하며 화물의 충격을 방지하기 위해 던네지 등을 깔아야 한다.
2) 또한 화물의 성질(위험화물, 발한성화물, 조악화물 등)에 따라 적입에 주의해야 한다.
3) 여러 화물을 혼재할 때에 중량화물과 포장이 견고한 화물을 아래 부분에, 포장이 약한 것과 가벼운 화물은 윗부분에 적재하여 화물의 손상 예방에 최선을 다해야 한다.

○ 적출(Devanning, Unstuffing) 작업이란 수입된 양하 컨테이너 중에서 LCL 컨테이너 또는 지정된 컨테이너를 CFS에서 꺼내는 작업으로서 적출된 화물을 수하주 단위로 인수자에게 인도하는 것이다.

1) 컨테이너 문을 열때는 짐이 무너지기 쉽기 때문에 주의해야하며 문이 열리지 않을 때에는 평탄한 장소에 옮기거나 문쪽을 높이 달아 올려 화물 탈락 사고에 대비한다.

□ 다음의 적요를 해석하고 설명하시오? ★[감정사]

○ 10 bags shorted and disputed : 10 포대 부족, 이의가 제기되어 논쟁이 있었음

○ 10 bags shortage : 10포대 부족함

□ '마모'의 적요? ★[감정사]

○ wear

※ The carpet should be wrapped, and the packing reinforced at both ends to avoid wear(카펫은 포장을 하고 양 끝에 포장을 보강하여 마모를 방지한다.

□ "유류에 의해 심하게 오손, 10개 마대 남겨둠"을 영어로 말하시오? ★[검량사]

○ Heavily stained with oil, 10 gunny bags shut out.

□ 포장명세서(Packing List)에 있는 Consignee의 의미는? ★[검량사]

○ 수하인이다. 상대적인 의미는 Consignor(송하인)이다.

※ 화물을 보내고 받는 관계

1) 매도인 ↔ 매수인
2) 수출자 ↔ 수입자
3) 송하주(인) ↔ 수하주(인)
4) seller ↔ buyer
5) consignor ↔ consignee

예 상 문 제

□ "화물 인수 · 인도 증명서"란 무엇인지 설명하시오?

○ Cargo Boat Note(B/N)라고 한다.

○ 본선으로부터 화물을 양하 할때에 화물의 상태를 나타내는 서류, Remark 란에 해당화물에 발견된 이상이 기록된다.

○ 화물 인도시의 상태에 대하여 수취인측 Checker와 본선의 일등항해사가 서명으로 확인한다.

○ 본선에서 수입화물을 양하하기 앞서 세관원이나 검수인이 본선의 적하목록(M/F : Manifest)과 대조하여 화물의 이상여부에 대하여 발행하는 명세서 이다.

□ "적화목록"에 대해 설명하시오?

○ Manifest라고 한다.

○ 화물선적을 완료한 후 선하증권(B/L) 사본을 기초로 본선 또는 선적지 대리점에서 작성하는 화물명세서이다.

* 본선수령증(M/R) → 선하증권(B/L) → 적화목록(M/F)

○ 세관에 제출해야 하는 서류중 하나이다.

□ 화물을 선박으로 운송하기 위해 운송인인 선박회사에 보내는 선적예약 서류는 무엇인가?

1) 포장명세서(P/L : Packing List), 2) 상업송장(C/I : Commercial Invoice),
3) 선적의뢰서(S/R : Shipping Request)

□ 포장명세서와 상업송장에 대해 설명하시오?

1) 포장명세서 : Packing List라고 한다. 송장과 내용이 대부분 비슷하고 대신 단가와 금액부분이 삭제되고 그 자리에 수량과 중량(순중량, 총중량) 용적 등이 기재되는 서류이다.
2) 상업송장 : Commercial Invoice라고 한다. 수출자가 수입자에게 보내는 서류로서 매매계약 조건을 이행했음을 밝히는 서류이다. 수출자가 발행하는

계약 이행 증빙서류이자 물품대금을 청구하기 위해 작성하는 송장으로, 공용 송장(세관송장, 영사송장)과 구별된다.

PACKING LIST

① Seller (매도인)	⑧ Invoice No. and date (상업송장 번호, 일자)
② Consignee(or For account & risk of Messrs.) [수하인 (계정과 위험은 Messrs에게 있음)]	⑨ Buyer(if other than consignee) [매수인, (수하인이 수입자와 다른 경우)]
③ Notify Party (적하통지처)	⑩ Other references
④ Departure date	
⑤ Vessel/flight ⑥ From	
⑦ To	

⑪ Shipping Marks	⑫ No.&kind of packages	⑬ Goods description	⑭ Quantity or net weight	⑮ Gross Weight	⑰ Measure ment

[포장명세서 양식]

COMMERCIAL INVOICE

① Shipper/Seller KRGILTRA159SEO GILDING TRADING CO., LTD. 159, SAMSUNG-DONG, KANGNAM-KU, SEOUL, KOREA	⑦ Invoice No. and date 8905 BK 1007 MAY. 20. 2007 ⑧ L/C No. and date 55352 APR. 25. 2007
② Consignee MONARCH PRODUCTS CO., LTD. 5200 ANTHONY WAVUE DR. DETROIT, MICHIGAN 48203 U. S. A	⑨ Buyer(if other than consignee) MONARCH PRODUCTS CO., LTD. 5200 ANTHONY WAVUE DR. DETROIT, MICHIGAN 48203 U. S. A.
③ Departure date MAY. 20. 2007	⑩ Other references COUNTRY OF ORIGIN : REPUBLIC OF KOREA
④ Vessel/flight PHEONIC ⑤ From BUSAN,KOREA	⑪ Terms of delivery and payment F.O.B BUSAN L/C AT SIGHT
⑥ To DETROIT, U.S.A	

⑫ Shipping Marks	⑬ No. & kind of packages	⑭ Goods description	⑮ Quantity	⑯ Unit price	⑰ Amount

[상업송장 양식]

□ 선적항에서 혼재하여 싣는 방식에서 '혼재'의 영어표현은 어떻게 되며 혼재하는 장소는 어디인가?

○ 혼재는 consolidation 이라 하고 취급하는 장소를 CFS라고 함

○ 혼재업자를 consolidator라 하며 LCL 화물을 인수하여 FCL 화물로 작업하는 자를 말한다.

○ 포워더(forwarder)와 혼재업자와의 차이점은 포워더는 화주와 운송계약을 체결하는데 반해 혼재업자는 화주가 아닌 포워더를 상대로 LCL을 확보한다.

○ 포워더가 화주로부터 LCL 화물을 받으면 LCL건에 대해서는 다시 혼재업자에게 넘기면 혼재업자는 다수의 소량화물을 CFS에서 FCL화물로 만드는 과정을 거친다.

□ 포워딩(Forwarding) 업체란?

○ 운송, 수출입, 관세 등 화물운송에 필요한 제반업무들을 화주를 대신하여 처리하는 업체이다.

○ 화주를 대신하여 발송인이 되어 선사와 운송계약을 체결하여 전반적인 운송책임을 맡는 업자를 가리킨다.

□ EDI로 문서를 보내는 곳은 어디인가?

○ Electronic Data Interchange. 전자문서교환시스템. 서면, 우편 등으로 주고받던 문서를 전자문서 형태로 주고받는 시스템이다. 송화인, 수화인, 세관, 운송업자 등에게 보낸다.

□ CVO란 무엇인가?

○ Commercial Vehicle Operation. "화물 운송정보 서비스"를 말한다. 화물 및 차량, 선박 등을 실시간으로 추적하여 이동상태 등을 파악할 수 있는 시스템을 말한다.

□ 하역인부를 영어로 말하면?

○ stevedore, longshoreman, docker

□ FAS 조건에 대해 설명하시오?

○ Free Alongside Ship, 선측 인도조건

○ INCOTERMS에서 인도조건으로는 선적지 인도조건, 운송조건으로는 해상 운송 조건에 해당한다.

○ 선박의 선측에서 매수인이 화물을 인수하게 되는 무역조건으로서 매수인은 지정항구에서 본선하역장비의 Tackle(기중기)의 도달거리에서 화물을 인수한 후, 모든 비용과 위험을 부담하게 되므로 그때부터 적하보험계약의 책임이 개시된다.

○ 따라서 매도인은 본선선측에 화물을 인도시킬 때까지는 적절한 대비책을 마련해야 한다.

□ FOB 조건에 대해 설명하시오?

○ Free On Board, 본선 인도조건

○ INCOTERMS에서 인도조건으로는 선적지 인도조건, 운송조건으로는 해상 운송 조건에 해당한다.

○ 매도인은 수입상(매수인)이 지정한 선박에 화물을 선적하여 인도 시켜주는 화물 매매조건을 말한다.

○ 본선 선적 이후의 모든 비용과 위험은 수입상이 부담하여야 하므로 이때 부터 적하보험의 담보효력이 발생한다. 매도인은 창고에서부터 본선까지의 위험은 따로 부보하여야 한다.

□ CFR(C&F) 조건에 대해 설명하시오?

○ Cost and Freight, 운임 포함조건

○ INCOTERMS에서 인도조건으로는 선적지 인도조건, 운송조건으로는 해상 운송 조건에 해당한다.

○ 목적지 항구까지 운임을 수출상(매도인)이 부담하는 조건이지만 적하보험의 부보의무는 수입상에게 있는 화물 매매조건이다

○ 해상보험의 개시는 FOB 조건과 같다. 화물이 본선의 난간을 통과한 시점부터 보험 개시시점이라 볼 수 있다.

□ 선하증권의 법적 성질에 대해 설명하시오?

1) 요인증권성(要因證券性) : 선하증권은 운송계약에 따라 운송인에 의해 화물이 수령되었거나 또는 선적되었음을 전제로 발행되는 것이므로 기존의 운송계약상의 권리를 증권에 결합시키는데 불과한 요인(또는 有因)증권이다.
2) 요식증권성(要式證券性) : 선하증권은 거기에 기재될 사항을 법률(상법)로 정하고 있으므로 요식증권성이다.
3) 문언증권성(文言證券性) : 해상운송에 있어서 선하증권이 발행된 경우, 당해 운송에 관한 운송인과 증권소지인의 권리의무는 선하증권에 기재된 문언에 따라서 정해지는 것을 말한다.
4) 상환증권성(相換證券性) : 선하증권이 작성된 경우에는 이와 상환하지 아니하면 화물의 인도를 청구할 수 없으므로 선하증권은 상환증권이다.
5) 처분증권성(處分證券性) : 선하증권이 발행된 경우 증권기재의 화물을 처분함에는 반드시 선하증권으로써 하여야 하므로 선하증권은 처분증권이다.
6) 인도증권성(引渡證券性) : 선하증권은 화물의 인도채권을 표창하는 유가증권이며 선하증권에 의하여 화물을 받을 수 있는 자에게 선하증권을 교부할 때에는 화물위에 행사하는 권리의 취득에 관하여는 증권의 인도가 곧 화물의 인도와 동일한 효력이 있기대문에 선하증권은 인도증권이다.
7) 지시증권성(指示證券性) : 증권권리자인 소지인이 배서에 의하여 다른 사람을 선하증권의 권리자로 되게 하거나 또는 그렇게 지정된 자가 또 다른 사람에게 그의 권리를 다시 이전시킬 수 있는 성질이 있으므로 지시증권성이다.

□ 선하증권의 종류에 대해 설명하시오?

○ 선하증권의 발행시기를 기준으로 한 분류

1) 수령선하증권(Received B/L, Received for shipment B/L) : 운송인이 운송을 위하여 화물을 수령한 후 그 뜻을 기재하여 발행한 선하증권을 말한다. 신용장거래에서는 당해 신용장이 특별히 수령선하증권을 허용하지 않는 한 수리되지 않으나 수령선하증권도 운송인이 선적되었다는 뜻과 선적일자를 별도로 부기(on board notation)하고 서명하면 선적선하증권이 된다.
2) 선적선하증권(Shipped B/L, On board B/L, Laden on board B/L) : B/L에 기재된 화물이 운송선박에 선적된 후 그 뜻이 기재된 선하증권을

말한다.

○ 수하인의 표시에 의한 분류

1) 기명식 선하증권(Straight B/L) : 선하증권의 수하인란에 특정인의 명칭(회사명 또는 성명)이 기재된 선하증권. 대부분의 국가에서는 기명식B/L은 배서양도가 불가능하다고 규정하고 있으나 우리나라에서는 선하증권은 당연한 지시증권이며 특히 B/L에 '배서금지'의 뜻이 표시되어 있어야만 배서양도가 불가능하다. 개인 이사짐의 경우 양도하는 경우가 없으므로 이런 경우 사용되는 선하증권이다.
2) 지시식 선하증권(Order B/L) : 선하증권의 수하인란에 "Order…"라는 문언이 포함되어 있는 선하증권을 말함. 지시식 B/L은 배서에 의해 유통이 가능함. 즉 운송중이나 양하시 계약에 의해 다른 매수인에게 양도가 가능하다는 의미이다.

○ 선하증권의 유통가부에 따른 분류

1) Negotiable B/L : (법률상 당연한) 지시식 B/L
2) Non-Negotiable B/L : (유통불가표시가 있는) 기명식 B/L

○ 화물의 하자상태의 기재유무에 따른 분류

1) 무유보 선하증권(Clean B/L) : 선하증권상에 화물 또는 포장의 하자상태의 기재가 없는 B/L을 말함. 따라서 선하증권에 별도로 "Clean B/L"이라는 문구가 없더라도 유보문구가 없다면 이미 Clean B/L이다. 통상 B/L에는 운송인이 '외관상 양호한 상태로'(in apparent good order and condition) 운송물을 수령 또는 선적하였다는 뜻이 인쇄되어있다.
2) 유보 선하증권, 고장부 선하증권(Foul B/L, Dirty B/L) : 화물, 포장 기타 상태에 불완전한 점이 있어서 그 내용(예; Leaking, Tort, Dented, Scratch, Rusted 등)이 기재된 선하증권을 말함. 운송인 측면에서는 송하인이 위탁한 화물의 외관상태를 상당한 주의로써 검사하고, 화물 또는 포장의 상태에 이상이 있을 경우에는 그 내용을 선하증권에 기재하여야 사후에 부당한 화물 손해배상 클레임에 대비할 수 있다. 화물 또는 포장 등에 결함이 있는 경우에 실무적 편법으로 송하인이 운송인에게 파손화물에 대한 보상각서 또는 보상장(LOI 또는 LI ; Letter of Indemnity)를 제출하고 Clean B/L을 교부받는 비정상적 관행이 종종 있다.

□ **선하증권의 종류에서 수하인 표시에 따라 분류되는 B/L은 무엇인가?**

○ 선하증권에 수하인이 표시되는 것을 기명식 선하증권(Straight B/L)이며 타인에게 양도가 불가하다. 지시식선하증권(Order B/L)은 수하인란에 To order라고 표시되어 배서에 의해 유통이 가능한 선하증권이다.

□ **화물의 하자상태의 기재유무에 따른 B/L의 분류방식은?**

○ 화물 또는 포장의 하자상태의 기재가 없는 선하증권을 "무유보 선하증권(Clean B/L)이라 하고 통상 "in apparent good order and condition (외관상 양호한 상태로)"라고 기재되어 있다.

○ 화물 또는 포장상태 등에 불완전한 점이 있다면 유보 선하증권, 고장부 선하증권(Foul B/L, Dirty B/L)이라고 한다.

□ Red B/L은 무엇인가?

○ 선하증권 자체에 적하보험증권이 결합된 선하증권을 말한다.

○ Red B/L이라는 명칭은 운송인이 화주로부터 적하보험료를 받고 화물손해가 발생할 시 보상해 주기 위해 B/L면에 보험부보에 관한 사항을 적색글씨로 기재한데서 유래한 것이나 오늘날에는 거의 이용되지 않고 있다.

□ Seaway Bill 이란 무엇인가?

○ 해상화물운송장이라고 한다.

○ 운송인은 용선자 또는 송하인의 청구가 있으면 선하증권을 발행하는 대신 해상화물운송장을 발행할 수 있다. 해상화물운송장이 발행된 경우 운송인이 그 운송장에 기재된 대로 운송물을 수령 또는 선적한 것으로 추정한다.

□ **선하증권의 법적 기재사항에 대해 설명하시오?**

1) 선하증권(Bill of Lading)이라는 표시
2) 운송인(Carrier) 표시
3) 송화주 또는 용선자
4) 수화주 또는 통지수령인
5) 화물명세(종류, 중량과 용적, 포장종류, 개수, 운송물기호)
6) 운송물의 외관상태

7) 운송선박의 명칭, 국적 및 톤수
8) 운송구간
9) 운임
10) 선하증권의 발행지와 그 발행년월일
11) 선하증권의 발행통수(통상 3통)
12) 기명날인 또는 서명(기명날인 또는 서명이 없는 선하증권은 효력없음)
※ 임의적 기재사항 : 항해(항차)번호(Voyage No.), 통지처(Notify Party), 참고용 최종 목적지, 운임지불지 및 환율, 선하증권번호(B/L No.), 송하인 신고사항, 일반약관(General Clause) 또는 면책약관(Exceptions). 스탬프약관(Stamp Clause) 등

□ Switch B/L 이란 무엇인가?

○ 중계무역(삼각무역, 삼국간 무역)에서 주로 사용되는 B/L로써 중계업자가 원수출자를 노출시키지 않기 위해 화물을 실제 수출한 지역에 속한 선사, 포워더가 발행한 B/L을 근거로 제3의 장소에서 Shipper(원수출자)를 중계업자로 교체하여 발급받는 B/L을 말한다.

○ 스위치 선하증권은 중계무역에서 사용되는 선하증권의 한 형태를 말한다. 이 경우 선하증권은 최초수출국에서 한번 발행하고 두 번째는 중계지의 운송인이 발행하게 되는데 첫 번째 선하증권은 중계자를 수하인으로 하여 발행하고 두 번째 선하증권은 최종수입자를 수하인으로 하여 발행하게 되는데 선적지에서 발행된 첫 번째 B/L을 회수한 후 두 번째 B/L을 발행하게 된다. 이때 발행된 B/L을 가르켜 Switch B/L이라고 한다.

□ 서렌더 선하증권(Surrender B/L) 이란?

○ 선하증권의 종류가 아니라 선하증권상에 Surrender라는 문구를 찍는 등의 방법으로 선하증권의 상환증권성을 포기한 선하증권.

○ 서렌더 선하증권은 송하인이 운송인에 대해 선하증권을 발급받는 것을 포기하거나 이미 발행된 선하증권을 수하인에게 발송하지 않고 운송인에게 반납함으로써 수하인이 원본 없이 신속히 화물을 찾을 수 있도록 한다는 점에서 일종의 권리포기 선하증권이라 할 수 있다.

□ Through B/L 이란 무엇인가?

○ 적하지에서 양하지까지의 운송중에 복수의 운송인이 관여하고 있거나 전 구간을 통해 일관 운송을 인수하고 일관 책임을 지는 것을 내용으로 한 운송선하증권을 발행한 경우 통과 화물운송선화증권, 또는 통선하증권이라 한다.

○ 무역거래에서 화물이 해상, 내수로, 육상등 여러 가지 운송경로를 통해 운송될 때 전국간에 통용되는 선하증권을 말한다. 최초의 운송인이 발행하는 것으로 통과선하증권이라 한다. 여러 가지 운송경로를 사용하므로 환적이 발생하는데 환적할 때마다 운송계약을 맺어야 하는 번거로움을 없애고 비용도 줄일수 있다.

※ Through cargo : 선적항에서 목적항까지 운송중 입항하는 항구에서 양하하지 않고 통과하는 화물을 말한다.

□ 복합운송인의 책임체계?

○ 단일(동일)책임체계 : 손해가 발생한 운송구간에 관계없이 동일한 원칙에 따라 책임을 부담

○ 이종책임체계 : 손해가 발생한 운송구간에서의 원칙에 따라 책임을 부담. 어느 구간에서 손해가 발생한지 확인이 안될 경우 해상구간에서 손해가 발생한 것으로 간주

○ 절충책임체계, 수정동일책임체계 : 원칙적으로 전 운송구간 동일책임체계를 채택. 손해발생구간이 확인되면 적용되는 국제 또는 국내 책임한도액중 큰 한도액에 따르게 된다.

□ 선하증권에 대한 약관의 통일에 관한 규칙들은 무엇인가?

○ Hague Rules(1924) → Hague Visby Rules(1968) → Hamburg Rules(1978)이며 우리나라는 헤이그 비스비 규칙을 상법에 반영하고 있다.

□ 헤이그 규칙과 헤이그-비스비 규칙에서 정하는 물품의 범위는?

○ 생동물, 갑판적재 물품을 제외하는 각종 물건이 대상이다.

□ 함부르크 규칙의 물품의 범위와 운송인의 책임구간은?

○ 생동물, 갑판적재 물품을 제외하는 각종 물건이 대상으로 하나 컨테이너, 펠렛 포함 갑판적재는 합의, 관행, 법령 등의 경우는 인정됨

○ 운송인의 책임구간은 인수부터 인도까지(receipt to deliver)이다.

※ Hague Rules(1924), Hague Visby Rules(1968)의 범위는 생동물(生動物)과 갑판적재 물품을 제외하고 있으나 Hamburg Rules(1978)에서는 갑판적재 화물까지 포함하고 있다.

※ 선하증권 통일 조약의 비교

구분	Hague Rules(1924) Hague Visby Rules(1968)	Hamburg Rules(1978)
물품의 범위	생동물, 갑판적재 물품을 제외하는 각종물건	Hague Rule + 컨테이너, 팰렛포함 갑판적재는 합의, 관행, 법령등의 경우 인정
협약의 적용범위	선하증권이 발행된 해상운송계약에만 적용	체약국과 관련된 해상운송계약
운송인의 책임기간	적재부터 양하까지 (Tackle to Tackle)	인수부터 인도까지 (Receipt to Deliver)
책임한도액	◦(Hague) 1포장, 1단위 당 100 pound ◦(Hague Visby) 포장 단위당 또는 선적단위당 666.67 SDR 또는 1kg당 2 SDR	◦1포장 또는 기타의 선적단위당 835 SDR ◦1kg당 2.5 SDR

□ 하우스 B/L과 마스터 B/L을 구분 설명하시오?

○ LCL 화물인 경우에 선사가 포워더에게 발행하는 것을 Master B/L이라하고 포워더가 개별하주에게 발행하는 것을 House B/L이라고 함.

□ Hitchment cargo란 무엇인가?

○ 집하운송화물. 한 선박을 통해 여러항에서 같은 종류의 화물을 싣고 난후 한 개의 선하증권을 발급하는 화물

□ **감정사, 검량사, 검수사 업무에 대해 설명하시오?**

○ 감정사(Certified Surveyor) : 선박회사, 화주, 보험사, 기타 제3자 등의 의뢰를 중립적 위치에서 공정하게 조사, 계산, 확정 및 증명서를 발급하며, 화물, 선박, 운송기기, 해운과 관련된 수량, 용적, 중량, 상태, 품질, 손상 및 손해에 대한 조사, 검사, 사정, 입증 및 증명서를 발급한다. 또한, 국외적인 분쟁, 손해 등의 발생시에는 외국 의뢰자들은 검량, 감정보고서를 요청함으로써 제3자의 감정인으로서의 법적 효력을 충족 하고 있다.

○ 검량사(Certified Measurer) : 국제간의 합의된 계약에 의한 선적화물중 액체화물, 곡물과 같은 산물, 기체화물 기타 각종 저장탱크와 화물의 용적 또는 중량을 이해당사자가 아닌 제3자적 위치에서 공정한 산정과 검측계산하여 공증적 증명을 행하며 국외적인 분쟁, 손해 등의 발생시에는 외국 의뢰자들은 검량, 감정보고서를 요청함으로서 제3자의 검량인으로서의 법적 효력을 충족하고 있다.

○ 검수사(Certified Tallyman) : 수출입 화물이 송하주로부터 수하주에게 인도되기까지의 선적, 양하, 환적 등 모든 화물의 정확한 개수의 계산, 상태의 확인 및 수도의 증명을 행하며, 화물사고에 따른 선박회사 및 하주의 권익보호를 위한 객관적인 제3자의 관점에서 공정성과 정확성을 증명하는 공증적 자료로써 검수사에 의해 작성된 검수표에 의하여 무역 당사자간의 분쟁 및 책임의 소재를 명확히 구분 증명하는 업무이다.

☞ 감정사, 검량사, 검수사의 영어단어를 알아둘 필요가 있다.

□ **"Sworn Measurer" 란 무엇인가?**

○ 공인검량인이라고 한다. 화물의 용적, 중량 등에 관한 검량이나 증명을 전문으로 하는 공인 검량업자를 말함. 선서검량인이라고도 한다.

□ **부두측 검수작업과 본선측 검수작업에 대해 설명하시오?**

○ 부두측 검수작업 : 하주의 입장을 받아 선박 또는 화물의 양륙작업이 이루어지는 장소에서 행하는 검수작업을 말한다.

○ 본선측 검수작업 : 본선화물 양하, 적하시 운송인이 계약한 화물의 인도, 인수의 완전한 이행을 위해 운송인측 입장에서 검수를 증명하는 행위를 말한다.

□ **다음의 표현을 영어로 표현하시오?**

○ '녹슬다'의 적요?

: rusty

○ 1장의 철판이 부분적으로 변형됨을 영어로 표현하시오?

: One sheet steel plate partly deformed

○ 화물도착이 늦어 출항시간 때문에 싣지 못한 경우?

: No time, Shut out

○ 내용품의 파손 또는 이상에 대하여 책임이 없음

: N/R(Not Response) for breakage and Condition of contents

○ 액체화물, 내용품의 파손, 누손 책임 없음

: Liquid cargo, S/N/R for breakage and leakage of contents

* S/N/R : Ship's Not Responsible

○ "50상자 파손되어 내품의 파손상태가 불분명함"을 영어로 표현하시오?

: 50c/s broken, interior content's damaged condition unknown.

* c/s : case(상자)

○ "화물이 연착되어 250 상자를 남겨둠"을 적요하시오?

: Delayed arrival, 250c/s shut out.

□ **현재적요에 사용되는 적요에 대해 설명하시오?**

1) FOUND IN STOW : 수입화물의 경우 난태화물이 본선상에서 해치 개방전 또는 양하전에 발견된 본선책임의 난태화물 적요

   * 난태화물 : 포장이 파손되어 내용물이 유출된 상태의 화물

2) DURING DISCHARGE BY STEVEDORE(LABOURS) : 수입화물의 경우 작업원의 부주의로 인하여 발생되는 난태화물 적요

3) PRIOR TO LOAD : 수출화물의 경우 본선에 적하 이전에 운송중 또는 자체적으로 발생된 난태화물 적요

4) DURING LOAD BY STEVEDORE(LABOURS) : 수출화물의 경우 작업원의 부주의로 인하여 발생되는 난태화물 적요

제3장.　해상보험과 해상법

○ 제3장 해상보험과 해상법은 감정사 시험에서는 자주 출제되는 분야이다.

○ 검량사 시험에서는 '공동해손'과 '항만운송사업법'에 대해서만 알고 있으면 충분할 것이라 생각된다.

○ 본 장에서는 운항 중 발생하는 해상 고유의 위험으로부터 선박과 화물을 보호하는 해상보험과 해상운송에서 적용되는 아주 특이한 개념인 공동해손에 대해서 공부한다.

○ 보험자가 선박 또는 화물에 대한 위험을 담보하여 한 번의 해상사고로 선주와 화주가 파산하는 일이 발생하지 않도록 담보하는 해상보험의 종류를 이해한다.

○ 선박이 침몰 중에 선박과 화물 전부를 잃을 수 있는 위기상황에서 공동의 위험을 면하기 위해 선장이 취하는 특단의 조치로 발생하는 손해인 공동해손에 관해 알아본다.

※ Key Word : 해상보험, 선박보험, 적하보험, 해상손해, 공동해손, 요크앤트워프 규칙

기 출 문 제

□ **해상손해에 대해 설명하시오?** ★[감정사]

○ 해상손해는 선박, 적하 등 보험목적물이 해상위험으로 인하여 피보험이익의 전부 또는 일부가 멸실 또는 손상되어 피보험자가 입게 되는 재산상의 불이익이나 경제상의 부담을 말한다.

○ 해상손해는 ① 물적손해, ② 비용손해, ③ 배상책임손해로 구분한다.

구분		
물적손해 (Physical Loss)	전손 (Total Loss)	현실전손(Actual Total Loss)
		추정전손(Constructive Total Loss)
	분손 (Partial Loss)	단독해손(Particular Average)
		공동해손(General Average)
비용손해 (Expenses)	구조비(Salvage Charge)	
	손해방지비용(Sue and Labour Charge)	
	특별비용(Particular Charge)	
배상책임손해 (Liabilities)	충돌손해배상책임(Collision Liability)	
	제3자에 대한 배상책임(Third Party Liability)	

□ **해상보험의 정의와 종류에 대해서 설명하시오?** ★[감정사]

○ 해상보험계약 : 보험자가 선박 또는 화물에 대한 위험을 담보하고, 보험기간중에 담보위험으로 인하여 손해가 발생한 경우 피보험자에게 그 손해를 보상해 줄 것을 계약하고, 그 대가로 보험계약자에게서 보험료를 받을 것을 약속한 계약

○ 해상보험의 구성요소 : 해상보험계약은 해상사업에 관한 사고(해상위험)가 존재해야 하고 그 사고의 발생대상인 피보험목적물에 피보험자가 이해관계(피보험이익)를 가져야 하며, 피보험자가 그 피보험이익에 대하여 손해(해상손해)를 입어야 한다.

○ 해상보험의 종류

1) 적하보험(Cargo Insurance) : 화물을 보험목적물로 하는 보험

2) 선박보험(Hull Insurance) : 선박을 보험목적물로 하는 보험
3) 운임보험(Freight Insurance) : 선하증권이나 운송계약서에 화물을 목적지에서 화주에게 인도하지 못한 경우 운송인 등이 운임을 청구할 수 없도록 약정하고 있는 경우에 그로 인하여 운송인 등이 입은 손해를 보상하여 주는 보험.

□ **Sue & Labor Charges(S/L)에 대해 설명하시오?** ★[감정사]

○ 약관상 담보되는 위험을 방지하거나 경감시키기 위한 비용으로 보험자가 추가 부담하는 비용손해이다.

* 예) 화재보험에 가입한 건물이 화재로 손상을 입은 경우, 피보험자가 소방서 출동요청, 화재진압, 화재복구 등의 비용을 지출한 경우에 소요된 비용

○ 피보험목적물의 손해 이외에 추가로 보상되는 비용이므로 피보험목적물의 손해액과 손해방지비용의 합계액이 보험금액을 초과할 수 있다.

○ 합리적으로 발생한 손해방지비용을 보험자가 보상하는 반면 피보험자 및 그 대리인은 손해방지를 위한 필요한 모든 조치를 취해야 할 의무가 부과된 것이므로, 이러한 피보험자의 손해방지의무를 위반했을 때는 보험계약의 효력이 상실되거나 혹은 피보험자에게 불리한 결과를 가져오게 할 수 있다.

* 손해방지비용을 Sue & Labor Charges라고 하는 이유는 손해방지비용은 보험사고가 발생한 후 피보험자가 보험사고로 인한 손해를 방지하거나 경감하기 위해 소송(sue)을 제기하거나 손해를 줄이기 위한 노동(labor)을 하면서 지출한 비용이라는 의미이다

☞ 23년 감정사 면접시험에서 일부 면접그룹에서 「Sue & Labor Charges란 무엇인가?」 라는 질문이 있어 대부분의 수험생이 답변을 하지 못하였다. 「손해방지비용이 무엇인가?」 라고 질의했으면 대답이 어느 정도 가능한 상황이라 판단된다.

□ **적하보험중 1963년 협회적하약관(구 ICC)의 종류에 대해서 설명하시오?** ★[감정사]

○ 1963년 협회적하약관(ICC ; Institute Cargo Clause)은 ICC(FPA), ICC(WA), ICC(All Risks)로 구분된다.(* 구 협회 적하약관으로 통칭된다)

1) ICC(FPA : Free from Particular Average) : "단독해손 부담보". 전손과

공동해손, 구조비 그리고 손해방지비용 등이 보상된다.

2) ICC(WA : With Average) : "(면책율 이상의 손해에 대한)분손 담보". 전손과 공동해손, 구조비용 그리고 손해방지비용과 더불어 증권기재의 면책율을 초과하는 손해를 보상한다. FPA조건보다 보상의 범위가 넓으므로 보험료도 FPA보다 비싸다.

3) ICC(All Risks) : 전위험 담보

☞ 「FPA란 무엇이며 무엇의 약자인가?」라는 문제가 출제된 바 있다.

※ 적하보험 약관의 변천과정 : Lloyd's S.G. Policy ⇒ 1963년 협회적하약관(ICC 구약관) ⇒ **1982년 협회적하약관(ICC 신약관)**(* 현재 가장 많이 사용되고 있음) ⇒ 2009년 협회적하약관(ICC 2009) (* 아직까지 많이 사용되지는 않음)

□ 적하보험중 1982년 신협회약관(신 ICC)에 대해 설명하시오? ★[감정사]

○ SG Policy와 구ICC의 문제점을 보완하기 위해 제정한 약관으로 ICC(A), ICC(B), ICC(C) 조건으로 구분된다.

부 담 위 험	(A)	(B)	(C)
1. 화재(fire) 또는 폭발(explosion)	○	○	○
2. 본선 또는 부선의 좌초(stranding), 교사(grounding), 침몰(sinking) 또는 전복(capsize)	○	○	○
3. 육상운송용구의 전복 또는 탈선	○	○	○
4. 본선, 부선 또는 운송용구와 물 이외의 타 물체와의 충돌 또는 접촉	○	○	○
5. 피난항(port of distress)에서의 화물의 양하	○	○	○
6. 공동해손의 희생	○	○	○
7. 투하(jettison)	○	○	○
8. 지진(earthquake), 분화(volcano eruption), 낙뢰(lightning)	○	○	×
9. 본선, 부선, 선창, 운송용구, 컨테이너, 리프트밴 또는 보관소에 해수, 호수 또는 하천수의 유입	○	○	×
10. 파도에 의한 갑판상 유실(washing overboard)	○	○	×
11. 본선, 부선에 선적 또는 양하작업중 바다에 낙하 또는 추락하여 발생한 포장단위당 전손	○	○	×
12. 상기이외 일체의 위험	○	×	×

※ ICC(A)의 경우 전위험 담보조건이기 때문에 ICC(All Risk)과 대체가 가능하지만, ICC(B), ICC(C) 조건은 새로운 접근방식에 의하여 부담위험과 보상범위를 규정하고 있어 ICC(WA)나 ICC(FPA)와 일치하지 않는다.

□ 선박(선체)보험의 주요약관에 대해 설명하시오? ★[감정사]

○ ITC-Hull TLO SC/SL(Total Loss Only, Including Salvage, Salvage Charge, Sue & Labor Charge) : 담보위험으로 인한 보험목적의 전손, 구조료, 구조비 및 손해방지비용만을 보상한다. 따라서 분손인 단독해손과 공동해손 그리고 충돌배상책임손해는 보상하지 않으며 노후선박 및 어선에 주로 많이 사용하는 보험조건이다.

○ ITC-Hull but FPL(Free from Partial Loss) unless etc. : 전손에 추가하여 좌초, 침몰, 화재, 폭발, 충돌과 외부물체와의 접촉 등의 특정분선과 구조료, 구조비, 손해방지비용, 공동해손분담금 및 선박충돌배상책임을 담보하고 있다.

○ ITC-Hull(Institute Time Clause-Hull) : 현재 선체보험에서 가장 널리 사용되고 있으며 전손과 분손(단독해손, 공동해손), 손해방지비용, 구조비 및 충돌손해배상책임까지 보상된다.

* 구조료(Salvage Awards) : 해상고유의 자연적 위험에 의한 손해가 발생하지 않도록 계약을 통해 구조받은 자가 구조한 자에게 지불하는 보수

* 구조비(Salvage Charge) : 해상고유의 자연적 위험에 의한 손해가 발생하지 않도록 별도의 계약없이 해상법에 따라 구조받은 자가 구조한 자에게 지불하는 보수

☞ 종류별로 암기하기 보다는 약관에 사용되는 영어표현에 대해 숙지하고 있어야 한다.

□ 현실전손과 추정전손에 대해 구분 설명하시오? ★[감정사]

○ 현실전손(actual total loss) : 피보험목적물이 완전멸실 혹은 부보당시의 성질을 그대로 갖지 못할 정도로 심하게 손상을 입거나 또는 피보험자가 회복할 수 없도록 피보험목적물을 박탈당했을 때를 의미한다.

* 선박이 심해에 침몰하여 인양할 수 없거나 보험의 목적이 제3자에게 점유탈취된 경우

○ 추정전손(constructive total loss) : 피보험목적물이 현실적으로는 전부 멸실한 것은 아니나 손해가 극심하여 종래의 용도에 사용될 수 없거나 수리비

용이 피보험목적물의 가액을 초과하여 합리적으로 위부 했을 경우를 의미한다.

* 추정전손은 위부 통지 없이 성립되지 않으며 선박이 침몰하여 인양하는 구조비용이 그 선박의 가액보다 많이 소요되어 전손으로 처리하는 경우

※ 전손으로 추정 : 이 개념은 추정전손과 다른 개념이다. 선박이 행방불명되어 2개월간 분명하지 아니한 때에는 행방불명으로 처리하다. 이런 경우 "전손으로 추정"한다. 추정전손인 경우 '위부'의 절차를 거치지만 "전손으로 추정"되면 위부절차가 필요 없고 현실전손에 준하여 보험금을 지급받을수 있다.

□ 공동해손(General Average) 이란? ★★★[감정사]

○ 공동해손은 선장이 선박 및 적하에 대한 공동의 위험을 면하기 위해서 선박 또는 적하에 대하여 행한 처분으로 이로 인해 생긴 손해 및 비용을 말한다.

○ 태풍으로 배가 서서히 가라앉고 있다면 선장은 적재화물을 바다에 투하할 것이고 이로 인해 발생된 손해는 화물의 희생으로 무사히 항해를 마쳤기 때문에 선주의 선박에 아무런 손해가 발생하지 않았다 하더라도 선박가액에 비례하여 정산된 분담금을 부담해야 한다. 손해가 발생하지 않은 다른 하주의 화물도 마찬가지로 분담금을 부담한다.

○ 공동해손 제도는 해상교통의 안전을 도모하기 위해 해난에 대한 적극적인 대책으로서 법이 인정한 제도이며 공동해손은 그 위험을 면한 선박 또는 적하의 가액과 운임의 반액과 공동해손의 액과의 비율에 따라 각 이해관계인이 이를 분담한다.

○ 공동의 안전을 위하여 취해진 행위를 공동해손 행위라고 하며 공동해손 행위로 인하여 발생하는 손해를 공동해손이라 한다.

※ 물적손해는 전손(현실전손, 추정전손)과 분손(공동해손, 단독해손)으로 구분

□ 공동해손에 관한 국제규칙(York-Antwerp Rule 1994 : YAR)이란? ★★[감정사]

○ 공동해손이란 선장이 선박 및 적하에 대한 공동의 위험을 면하기 위해서 선박 또는 적화에 대하여 행한 처분으로 생긴 손해 및 비용을 말한다.

○ 공동해손이 발생할 경우 이를 정산하는데 사용되는 국제규칙이 요크앤트워프 규칙(York-Antwerp Rule)이다.

○ 중세시대부터 공동해손 정산에 관한 규정은 있었지만, 공동해손에 관한 세

계각국의 관습과 법률이 상이한 경우가 많아서, 공동해손의 성립, 범위 및 정산 방법에 관한 국제적 통일을 목적으로 제정되었다.

○ 1864년 요크-앤트워프 규칙으로 명명하고 수차례 개정되어 2016년 개정판이 죄신 개성판이며 실무에서는 1994 개정판을 주로 선하증권이나 용선계약 조건에 반영하고 있다.

○ 1994년 요크-앤트워프 규칙에서는 "어떠한 경우에도 공동해손의 희생과 비용이 합리적으로 발생하고 지출된 것이 아니면 희생 또는 비용으로 인정하지 아니한다" 라는 최우선 규정이 신설되었고

○ 현재 사용되고 있는 요크-앤트워프 규칙은 해석규정인 7개의 문자규정(A → G)과 22개의 숫자규정(1 → 22)으로 구성되어 정산할 때에는 숫자규정이 우선이지만 숫자규정에 명시되지 아니한 문제는 최우선규정과 문자규정에 따라서 해결하도록 되어 있다.

○ 요크-앤트워프 규칙은 법령이 아니므로 강제성이 없으나 대부분의 해상보험증권과 선하증권에는 공동해손은 요크-앤트워프규칙에 따른다는 약관이 삽입되어 있어 효력을 뒷받침하고 있다.

□ 공동해손의 성립요건을 설명하시오? ★★★[감정사/검량사]

○ 공동해손이 성립하기 위해서는 공동의 희생손해나 비용손해는 이례적이어야 하며 공동해손 행위는 임의적이어야 하고, 공동해손행위와 공동해손은 합리적이어야 하며, 위험은 현실적이어야 하며 위험은 항해단체 모두를 위협하는 것이어야 한다.

1) 공동해손의 이례성 : 희생손실이나 비용손실은 이례적이어야 함. 통상적인 운송과정에서 발생하는 비용은 공동해손으로 인정하지 않는다.
2) 공동해손행위의 임의성(=자발성) : 공동해손행위는 어떠한 목적을 가지고 자발적으로 이루어져야 함. 우연히 일어나는 행위는 공동해손행위로 인정되지 않는다
3) 합리성 : 공동해손행위와 그에 따라 발생하는 손해와 비용은 모두 합리적이어야 한다. 선박과 화물의 희생도 합리적이어야 하고 필요한 최소한의 경비가 지출되어야지 지나치게 과도한 비용이 발생해서는 안된다.
4) 위험의 현실성 : 공동해손이 성립하기 위해서는 위험이 실제로 존재 해야함.
5) 위험의 공동성 : 현실적인 위험은 해상사업에 관련되는 모든 단체에 위협

적이어야 한다. 선박과 화물 어느 한 당사자에게 발생한 위험은 공동해손으로 인정되지 않고 단독해손으로 처리된다.

□ 공동해손의 손해종류는 무엇인가? ★★[감정사/검량사]

○ 공동해손의 성립요건에 적합한 희생손해와 비용손해를 말함

1) 공동해손 희생손해 : 적하의 투하, 투하로 인한 손상, 선박의 소화작업, 기계 및 기관손해, 임의 좌초, 하역작업중 발생하는 손해, 운임의 손해

2) 공동해손 비용손해 : 임시수리비, 자금조달비용, 구조비, 피난항비용

☞ 「공동해손의 적격범위가 무엇인가?」라고 물어보기도 한다. 또는 「희생손해」와 「비용손해」에 대해 개별적으로 질의하기도 한다.

□ 해손 발생 시 선주나 선박소유자에게 유한책임주의가 적용되는 이유와 누구를 보호하기 위함인가? ★[감정사]

○ 해상의 특성상 예측할 수 없는 위험들이 많기 때문에 해손 발생시 선주나 선박 소유자의 부담 또한 무한정 커질 우려가 높다.

○ 선주의 부담은 물류비 상승을 가져오고 소비자 물가에 직접적으로 반영되므로 결국 물가의 상승을 가져오게 된다.

○ 따라서 일정 수준의 책임제한을 둠으로써 운항상 부담을 해소하고 궁극적으로 해운업 보호와 물류시장안정을 기하는데 그 목적이 있다고 할 수 있다.

□ 「선박법」과 「해상법」에서 규정하는 선박 정의의 차이점은? ★[감정사]

○ 선박법에서의 "선박"이란 수상 또는 수중에서 항행용으로 사용하거나 사용할 수 있는 배를 말하며 기선, 범선, 부선을 말한다.

○ (海)商法에서의 "선박"이란 상행위나 그 밖의 영리를 목적으로 항해에 사용하는 선박을 말한다(상법 제740조). 항해용 선박에 대하여는 상행위나 그 밖의 영리를 목적으로 하지 아니하더라도 준용한다(어선포함)

□ 항만운송사업과 항만운송관련사업에 대해 설명하시오?

★★[감정사/검량사/검수사]

○ 항만운송사업(4가지) : ①항만하역사업, ②검수사업, ③감정사업, ④검량사업

* 항만하역사업 : 타인의 수요에 의하여 화물을 운송하는 일

○ 항만운송관련사업(5가지) : ①항만용역업(통선, 경비, 줄잡이, 청소, 청수공급), ②선용품공급업(식품, 선용품, 부속품, 집기류등), ③선박연료공급업, ④선박수리업, ⑤컨테이너수리업

☞ 「항만운송사업은 몇 가지이며 각 항목에 대해 설명하시오?」 또는 「항만운송관련사업의 종류는?」, 「항만용역업의 세부 사업종류를 말하시오?」 등으로 질문할 수 있다.

□ 선원법상 선장의 의무중 5가지 이상 말하시오? ★[감정사]

○ 지휘명령권 : 해원(직원, 부원)을 지휘감독하고 선내에 있는 다른 자에 대하여 자기직무를 수행하기 위해 명령할 수 있는 지휘명령권

○ 징계권 : 선내의 규율과 질서를 유지하는데 필요한 징계권

○ 긴급조치권 : 선내에서 사람의 생명·신체 또는 선박에 미치는 위험방지를 위한 조치권

○ 사망자 발생시 인도의무 : 사람이 전염병으로 사망하여 선내 감염이 우려되거나, 기항 예정 항만에서 시신 인도가 지속적으로 거부되는 등 해양수산부령으로 정하는 사유가 있는 때에는 해양수산부령으로 정하는 바에 따라 수장 등 시신에 대한 조치를 할 수 있다.

○ 항로에 의한 항해 : 선장은 항해의 준비가 끝나면 지체없이 출항하여야 하며, 부득이한 사유가 있는 경우를 제외하고는 미리 정하여진 항로를 따라 도착항까지 항해하여야 한다.

○ 출항 전의 검사·보고의무

□ 선박법에서 선박의 종류는? ★★[감정사]

○ 선박법 제1조의2(정의) "선박"이란 수상 또는 수중에서 항행용으로 사용하거나 사용할 수 있는 배 종류를 말하며 기선, 범선, 부선을 말한다.

1) 기선 : 기관(機關)을 사용하여 추진하는 선박(선체밖에 기관을 붙인 선박으로서 그 기관을 선체로부터 분리할 수 있는 선박 및 기관과 돛을 모두 사용하는 경우로서 주로 기관을 사용하는 선박을 포함한다)과 수면비행선박(표면효과 작용을 이용하여 수면에 근접하여 비행하는 선박을 말한다)

2) 범선 : 돛을 사용하여 추진하는 선박(기관과 돛을 모두 사용하는 경우로서 주로 돛을 사용하는 것을 포함한다)

3) 부선 : 자력항행능력이 없어 다른 선박에 의하여 끌리거나 밀려서 항행되는 선박

※ 「선박법」에서의 '소형선박' 정의 :

1) 총톤수 20톤 미만인 기선 및 범선, 2) 총톤수 100톤 미만인 부선

□ 선박안전법에서 정하는 항해구역의 종류는? ★★[감정사]

○ 항해구역은 해역에 따라 평수구역, 연해구역, 근해구역, 원양구역으로 구분한다.

○ 평수구역은 가장 좁은 범위의 항해구역이다. 제18구까지 지정되어 있으며 대개 호수나 하천, 항만구역 등이 해당한다.

○ 연해구역은 평수구역보다 넓고 근해구역보다 좁은 지역으로 총5개의 구역이 있다.

○ 근해구역은 동쪽은 동경 175도, 서쪽은 동경 94도 남쪽은 남위 11도 북쪽은 북위 63도의 선으로 둘러싸인 수역이다.

○ 원양구역은 모든 수역을 일컬으며 원양구역이 항행구역으로 지정된 선박은 항해에 제한을 받지 않는다.

예 상 문 제

□ 해상손해중 비용손해(expenses)의 종류에 대해서 설명하시오?

○ 비용손해(expenses)의 종류에는 구조비, 손해방지비용, 특별비용으로 구분된다.

1) 구조비(salvage charge) : 선박 또는 적화가 해난에 처했을 때 손해의 방지나 경감에 필요한 비용, 선박을 구조하여 안전항구로 예인하는 데 드는 비용 등을 구조계약에 의하지 아니하고 임의로 구조한 자에게 지급하는 보수를 말한다.

2) 손해방지비용(sue and labor charge) : 피보험목적물에 위험이 발생하였을 경우 이로 인한 피보험목적물의 손해를 방지 또는 경감하기 위하여 피보험자 또는 그의 사용인 및 대리인이 지출한 비용을 말한다. 손해방지비용은 보험금액에 추가하여 보상되는데, 물적손해와 손해방지비용의 합계액이 보험금액을 초과하더라도 손해방지비용을 보상한다.

3) 특별비용(particular charge) : 피보험목적물 및 선박의 안전유지를 위하여 피보험자에 의해 지출된 비용이며, 공동해손비용이나 구조비용 이외의 비용을 말한다. 특별비용은 물적손해가 아니므로 공동해손에도 단독해손에도 포함되지 않는다.

※ 특별비용이 손해방지비용과 유사하지만 구분하는 이유는 손해방지비용에 포함될 수 없는 검사비용(손해사정경비 등), 재포장비용, 재운송비용 등이 발생하기 때문이며, 손해방지비용과 달리 특별비용은 보험금액의 한도내에서 보상된다.

□ 용선운송계약에 대해서 설명하시오?

○ 종류는 항해용선계약, 정기용선계약, 선체용선계약으로 구분할 수 있음

○ 항해용선(voyage charter)계약 : 특정한 항해를 할 목적으로 선박소유자가 용선자에게 선원이 승무하고 항해장비를 갖춘 선박의 전부 또는 일부를 물건의 운송에 제공하기로 약정하고 용선자가 이에 대하여 운임을 지급하기로 약정하는 것을 말함

○ 정기용선(time charter)계약 : 정기용선계약은 선박소유자가 용선자에게 선

원이 승무하고 항해장비를 갖춘 선박을 일정한 기간 동안 항해에 사용하게 할 것을 약정하고 용선자가 이에 대하여 기간으로 정한 용선료를 지급하기로 약정함으로써 그 효력이 생긴다.

○ 선체용선(bare boat charter)계약 : 선체용선계약은 용선자의 관리 · 지배하에 선박을 운항할 목적으로 선박소유자가 용선자에게 선박을 제공할 것을 약정하고 용선자가 이에 따른 용선료를 지급하기로 약정함으로써 그 효력이 생긴다.

※ 용선운송계약의 비교

구분	항해용선	정기용선	선체용선(나용선)
운임결정	예상항해기간과 화물량, 선복에 따라 결정	기간에 따라 결정	기간에 따라 결정
선장임명	선주가 선장임명, 지휘, 감독	선주가 선장임명. 지휘, 감독	용선자가 선장을 임명. 지휘, 감독
선주의 부담비용	직접선비, 간섭선비, 운항비	직접선비, 간접선비	상각비
용선자의 부담비용	용선료	용선료 및 운항비	상각비외 모든비용

□ 항만종합서비스업이란 무엇인가?

○ 항만용역업과 검수사업 · 감정사업 및 검량사업 중 1개 이상의 사업을 포함하는 내용의 사업을 말한다.

○ 여기서 항만용역업에는 이안 및 접안을 보조하기 위하여 줄잡이 역무를 제공하는 행위 및 화물 고정 행위가 포함되어야 한다.

※ 「항만운송사업법」 제2조 제8항 규정에 근거하고 있다.

□ 선박의 운용에 필요한 비용(해운비용)에 대해 설명하시오?

○ 직접선비(management cost), 간접선비(fixed cost), 운항비(operation cost)로 구분할 수 있음

○ 직접선비(management cost)

1) 선박을 상시 운항할 수 있는 상태로 유지, 관리하기 위한 비용

2) 선박의 운항에 관계없이 각 선박별로 발생하는 일정한 금액의 원가
3) 선원비, 수리·수선비, 선용품비 등

○ 간접선비(fixed cost)
1) 선박을 보유하는데 필요한 비용, 고정비용이라고도 함
2) 선박투자의 이자비용, 선박감가상각비, 선박보험료, 선박세 등

○ 운항비(operation cost)
1) 선박을 운항하는데 소요되는 비용
2) 연료비, 항비, 운하통행료 등

※ 구분방식에 따라 '윤활유비'를 직접선비 또는 운항비에 포함하거나 '일반관리비'를 직접선비 또는 간접선비에 포함하는 경우가 있다.

□ 선박의 감항성(sea worthiness)이란?

○ 일반적으로 감항성(내항성)이란 선체 및 기관에 이상이 없고 선장 이하 선원에 결원이 없으며 연료, 청수 등 항해준비를 완벽하게 갖춘 상태를 감항성이 있다고 한다.

○ 또는 선박이 특정 운송계약을 이행함에 있어서 그 항해를 안전하게 감당할 수 있는 능력을 말하는데 일반적으로는 선체의 물리적 감항성, 선박의 항해능력 및 선박의 적재능력이 확보되어 있는 상태를 말한다.

* 이를 선체감항성, 항해감항성, 적재감항성으로도 표현한다.

○ 우리나라 *海商法* 제794조(감항능력 주의의무)에서는 "운송인은 자기 또는 선원이나 그 밖의 선박사용인이 발항 당시 다음의 사항에 관하여 주의를 해태하지 아니하였음을 증명하지 아니하면 운송물의 멸실 · 훼손 또는 연착으로 인한 손해를 배상할 책임이 있다."고 규정하면서
1) 선박이 안전하게 항해를 할 수 있게 할 것
2) 필요한 선원의 승선, 선박의장(艤裝)과 필요품의 보급
3) 선창 · 냉장실, 그 밖에 운송물을 적재할 선박의 부분을 운송물의 수령 · 운송과 보존을 위하여 적합한 상태에 둘 것 이라 규정하고 있다.

☞ 감항성의 정의와 종류에 대해 알고 있으면 충분하다.

□ ICC 부가조건중 TPND, RFWD, COOC, Spontancous combustion 에 대해서 설명하시오?

○ TPND : Theft(도난), Pilferage(발하), Non-delivery(불도착)

* theft는 '은밀한 절도'로 포장꾸러미에서 몰래 훔치는 것을 말하고, pilferage는 '좀도둑 또는 발하(拔荷)'로 번역하며 포장꾸러미의 내용물 일부가 빠져나가는 것을 말한다.

○ RFWD : Rain and/or fresh water damage

○ COOC : Contact with Oil and/or other cargo(유류 및 타화물과의 접촉)

○ Spontaneous combustion : 자연발화

□ New for Old(신구교환공제)란 무슨 뜻인가?

○ 수리를 하여 보험 목적물(선박, 화물)의 가치가 높아졌을 때 가치증대부분을 공제

○ 보험의 목적물이 손상을 입어 수리를 하는 경우, 손상된 부품을 신품으로 교환하는 때가 있는데 이것은 수리후의 보험의 목적의 가치가 사고 직전의 가치를 상회하는 것은 결국 가치가 증가하는 것을 의미한다.

○ 따라서 보험의 보상책임은 원상회복이라는 관점에서 수리비전액을 손해액으로 인정하는 것은 아니고 수리비용으로부터 가치증대 부분에 상당한다고 생각되는 금액을 공제해서 손해액을 산정할 필요가 있다. 이것을 신구교환공제라 한다.

□ 정박기간에 대해 설명하시오?

○ 청천하역일(WWD ; Weather Working Days) : 해상운송에서 날씨가 하역작업에 가능한 날이라는 뜻으로 이 날만을 정박일수로 산정할 때 사용되는 항만용어이다.

○ 연속정박기간(Running laydays) : 항해용선(Trip Charter ; Voyage Charter)에서 하역기간을 규정한 경우 시계바늘로 세어서 24시간을 1일로 한다는 약정이다. WWD(청천하역일, Weather Working Day)와 대비되는 조건이다. 따라서 우천(雨天), 파업 및 기타 불가항력 등의 원인을 불문하고 비록 실제로 하역불능일이 있었다 하더라도 모두 이것을 정박기간에 산입한다. 이 조건하에서는 정박기간의 개시로부터 연속 24시간을 1일로서 계산한다.

일요일 및 공휴일에 대해서도 이것을 제외한다는 취지를 특별히 명시하지 않는 한 정박기간에 산입한다.

※ 관습적 조속하역(CQD ; Customary Quick Dispatch) : 얼마나 빨리 하역할 수 있는가 하는 하역조건 중에서 하루의 하역량을 한정하지 않고, 그 항구의 관습에 따라 가능한 한 신속히 하역하는 관습적 조속 하역조건을 말한다. 정기선의 개품 운송의 경우 대개 이 조건에 의한다.

□ 해상사고가 발생한 경우 적하보험금 청구시 구비서류에 대해 말하시오?

① 보험금청구서 ② 보험증권원본 ③ 상업송장 ④ 선하증권 ⑤ 포장명세서 ⑥ 화물인도관계서류, ⑦ 사고조사보고서(survey report) ⑧ 중량증명서 ⑨ 귀책자와의 교신문 ⑩ 해난보고서 ⑪ 화물적부도 ⑫ 수입신고서 ⑬ 용선계약서

□ important 약관이란 무엇인가?

○ 보험자는 사고가 발생하였을 때 피보험자의 의무규정으로서 수탁자약관과 important 약관을 삽입하여 피보험자의 합리적 조치를 요구하고 있다. important 약관은 보험사고가 발생하였을 때 취해야 할 유의사항을 규정한 조항이다.

□ 보험금액과 보험가액에 대해 설명하시오?

○ 보험금액(Insured Amount) : 보험사고 또는 손해발생시 보험자가 지급해야 하는 보상책임의 최고한도액으로 미리 당사자가 약정한 금액

○ 보험가액(Insurable Value) : 피보험이익의 경제적가치를 말함. 보험사고가 발생한 경우 피보험자가 입을 수 있는 손해의 최고한도액을 말함

1) 전부보험(full insurance) : 보험가액 = 보험금액
2) 일부보험(partial insurance) : 보험가액 〉 보험금액
3) 초과보험(over insurance) : 보험가액 〈 보험금액
4) 중복보험(double insurance) : 동일한 보험계약의 목적과 동일한 사고에 관하여 수개의 보험계약이 체결되는 보험

□ 피보험이익에 따른 해상보험의 종류는?

○ 선박보험, 적하보험, 운임보험, 희망이익보험

□ Lump Sum Charter(선복운임 용선계약)이란 무엇인가?

○ 항해용선계약에 있어서는 운임은 보통 실제 적재수량에 의해서 계산되나 A항에서 B항까지의 계약선복(톤수)에 의해서 합계 얼마로 정하고 실제의 적재수량에는 관계가 없는 계약을 Lump Sum Charter라고 하고 이 경우의 운임을 Lump sum Freight라 한다.

□ 3/4충돌 배상 책임보험에 대해 설명하시오?

○ 선박보험(선체 및 기관보험)에서 책임손해중 보험자의 보상대상이 되는 손해는 충돌배상책임이다. 그런데 선박이 충돌함으로서 발생하는 일체의 책임을 보상하여 주는 것이 아니라 그 보상은 제한적이다.

○ 즉, 보험자는 피보험선박이 타 선박과 충돌하여 그 결과 피보험자가
- 타 선박 또는 타 선박에 있는 재산의 멸실이나 손상
- 타 선박 또는 그 재산의 지연이나 사용이익의 상실
- 타 선박 또는 그 재산의 공동해손, 구조 또는 계약에 의한 구조 등의 손해에 대하여 법적배상책임을 지고 그 손해배상금조로 일정금액을 타인에게 지급한 경우에는 그 금액의 3/4를 보상한다.

○ 보험자의 보상은 보험금액을 한도로 하지만 충돌배상책임은 물적손해나 비용손해의 보상과 관계없이 보험금액의 3/4를 보상한다. 이 경우 1/4은 피보험자 자신이 부담하거나 P&I에 가입하여 보상받을 수 있다.

□ 체선료와 조출료에 대해 설명하시오?

○ 체선료(Demurrage) : 선박이 약정된 정박기간 안에 화물을 선적하거나 양하 하지 못했을 때 발생되는 비용으로 선주와 선박을 빌려 화물을 운송하는 용선자 사이에서 발생한다. 체선료는 정박기간을 경과한 일수에 따라 선주가 용선자에게 청구하는 비용이며 일종의 패널티이다.

○ 조출료(Despatch) : 원래 계획하여 정한 선박의 정박기간보다 빨리 선적 또는 양하가 완료될 경우에 선주가 화물의 주인인 용선자에게 지급하는 요금을 말한다. 절약한 정박기간 만큼에 대해 선주가 지급하는 환급금으로 신속한 하역을 위해 인센티브 개념으로 선주가 보상하는 것을 말한다.

※ 지체료(Detention charge) : 운송인이 컨테이너 작업을 위해서 CY에서 공컨테이너를 가져온뒤 자기 창고에서 오랫동안 방치를 해두는 경우나 수하인

이 컨테이너를 반출해서 자기 창고로 가져온 후 CY에 공 컨테이너를 무상 기간내에 반납하지 않은 경우 발생하는 비용

□ 상법상 공동해손 분담 및 분담액에 대해 설명하시오?

○ 위험을 면한 선박 또는 적하의 가액과 운임의 반액과 공동해손의 액과의 비율에 따라 각 이해관계인이 이를 분담한다

○ 공동해손분담액 산정시 선박의 가액은 도달의 때와 곳의 가액으로 하고 적하의 가액은 양륙의 때와 곳의 가액으로 한다.

* 가액(價額) : 물품의 가치에 상당하는 값

<예1> 잔존선박의 선가가 400억원, 잔존화물의 가액이 250억원, 운임액이 150억원 일때, 공동해손 분담률이 5%가 되기 위한 공동해손 배상액은?

☞ $\text{공동해손분담률} = \dfrac{\text{공동해손 배상액의 총액}}{\text{공동해손 분담가액의 총액}} = \dfrac{X}{400+250+150} = 5\%$

$X = 40$억원

<예2> 잔존선박의 선가가 200억원, 잔존적하의 가액이 140억원, 운임액이 40억원, 손해액인 공동해손액이 40억원일 때 공동해손 분담률은 ?

☞ $\text{공동해손분담률} = \dfrac{\text{공동해손 배상액의 총액}}{\text{공동해손 분담가액의 총액}} = \dfrac{40}{200+140+40} = 0.1$

□ 선원법상 선원의 구분?

○ 선장과 해원으로 구분한다.

○ 해원은 직원과 부원으로 구분한다.

▸ 직원 : 항해사, 기관장(사), 전자기관사, 통신장(사), 운항장(사)

▸ 부원 : 직원이 아닌 해원

※ 예비원 : 선박에서 근무하는 선원으로서 현재 승무중이 아닌 선원

□ 항만운송사업법상 검수사업, 감정사업, 검량사업의 등록기준?

구분	검수사업			감정사업	검량사업
	1급지 (부산항, 인천항, 울산항, 포항항, 광양항)	2급지 (마산항, 군산항)	3급지 (1급지와 2급지를 제외한 항)		
1. 자본금	5천만원 이상	5천만원 이상	5천만원 이상	5천만원 이상	5천만원 이상
2. 인원	부산항(40명이상) 인천항(25명이상) 울산·포항·광양항 (7명이상)	3명 이상	2명 이상	6명이상	6명이상

비고: 사업자가 개인인 경우에는 자본금을 갈음하여 재산평가액을 적용한다.

☞ 해당시험에 대한 등록기준(자본과 인원)에 대해서만 알고 있으면 된다. 감정사 시험에서는 감정사의 등록기준에 대해서만 물어본다.

제4장. 선박의 종류와 구조

○ 제4장은 감정사, 검량사, 검수사 시험에서 자주 출제되는 분야이다

○ 본 장에서는 선박 구조에 대해서 알아본다. 항해에 종사하는 선박의 종류와 바람, 파도 등 외력을 이겨내는 선박의 구조에 대해 알아본다.

○ 벌크선 즉, 곡물, 유류, LNG, 철광석 등 벌크 화물을 운송하는 전용선에 대해서도 숙지하여야 한다. 검량사 시험에서는 LNG선의 출제빈도가 높다.

○ 수직·수평의 외력에 견디는 선박의 종강력 구성재, 횡강력 구성재의 종류, 외력에 의해 일어나는 선체의 변형 및 선박의 전복까지 일어나게 만드는 유동수의 자유표면 효과에 대해서도 알아본다.

○ 선박 길이의 종류에 대해서도 구분하여 알아두어야 한다.

○ 비해양수산계 수험생들에게는 어려운 분야 일 수도 있으나 이해하기 어려운 용어들은 인터넷 등을 통해 그림을 찾아보고 기억하면 시험에 많은 도움이 될 것이라 사료된다.

※ 키워드 : LNG선박, 유조선, 유동수, 이중저, 내저판, 호깅, 새깅, 횡강력재, 종강력재, 선박 평형수, 선체의 길이 및 폭

기 출 문 제

□ **LNG에 대해 설명하시오?** ★[감정사]

○ Liquefied Natural Gas, 액화천연가스는 메탄(methane)을 주성분으로 하는 천연가스를 극저온에서 응축하여 액상으로 만든 탄화수소 연료이다. 주로 도시가스, 발전용 연료, 화학공업원료로 사용한다.

※ 천연가스는 메탄이 90%이상을 차지하며 기타, 프로판, 에탄, 질소 등이 배합되어 있음.

○ 기체 상태의 천연가스를 대기압에서 영하 162도로 냉각하여 액화한 것으로 기체 상태 대비 부피가 600배 줄어 저장 및 수송에 유리하다.

□ **LNG와 LPG와의 차이점 3가지 정도 설명하시오?** ★[감정사]

구분	LNG Liquified Natural Gas	LPG Liquified Petroleum Gas
주성분	메탄(CH_4)	프로판(C_3H_8), 부탄(C_4H_{10})
생산	원유와 같이 유전에서 채굴	원유의 정유과정에서 생성
액화 온도	대기압 -162℃에서 액화	프로판 : 대기압 -42℃에서 액화 부 탄 : 대기압 -0.5℃에서 액화
액화 방법	천연가스를 대기압에서 -162℃ 이하로 냉각시켜 액화	원유정제시 나오는 프로판, 부탄등을 6~7kg/cm^2을 가하여 액화
압축비	천연가스(1/600배)	프로판(1/250배), 부탄(1/230배)
비등점	-162℃	-42℃
용도	도시가스, 선박연료유 등	농어촌지역 도시가스, 자동차연료 등
발열량	LNG 〈 LPG	

□ **LNG 운반선박의 특징에 대해 설명하시오?** ★★[감정사/검량사]

○ LNG선(LNG carrier, LNG Tanker)은 LNG(Liquefied Natural Gas ; 액화천연가스)를 운반하는 선박을 말한다.

○ 천연가스는 대기압에서 -162℃까지 온도를 낮추어야 액화되므로 LNG선은

우수한 보냉장치와 극저온에 견딜 수 있는 탱크와 배관용 재료가 필요하다.

○ LNG선박의 운반용기인 LNG탱크의 종류는 모스(Moss)방식과 멤브레인(Membrane) 방식으로 구분됨

1) 모스방식 : 공모양의 구형탱크를 선체에 탑재하는 방식으로 내압성이 좋고 충돌, 좌초 등 해상 사고시에도 탱크의 파손가능성이 낮다는 장점이 있으나 건조비가 비싸며 공간이용 효율과 전방시야가 좋지 않은 단점이 있다.

2) 멤브레인 방식 : 박스형태의 화물창으로 화물탱크가 선체내부에 있는 형태임. 공간 이용효율이 좋고 건조비가 비교적 저렴하지만 내압성이 낮고 슬로싱(Sloshing)현상(탱크내에 적재된 액체가 선박의 움직임에 의해 이동하며 탱크 벽면을 때리는 현상) 때문에 부분 적재 제한이 있다.

※ LPG운반선 : LPG(Liquefied Petroleum Gas)특성상 증발후 기화하면 그 부피가 증가하므로 액화된 상태의 화물을 운송하기 위해서는 화물탱크가 내부의 압력상승을 충분히 견딜수 있는 구조(가압식, 냉동식, 반가압식)이다. 운송시 프로판은 260배, 부탄은 230배로 부피가 줄어든다.

□ **전용화물을 운송할 수 있는 선박의 종류?** ★[감정사]

○ 유조선(원유운반선), 석유제품운반선, 화학제품운반선, 가스운반선(LNG, LPG), 광석운반선, 자동차운반선(pure car carrier), 냉동선 등이 있음

□ **유조선의 IGS 시스템에 대해 설명하시오?** ★★★[감정사/검량사]

○ Inert Gas System이라고 한다. 유조선 화물창의 폭발을 방지하기 위하여 불활성 가스를 생산, 공급해주는 장치이다.

○ IGS는 SOLAS에 의해 2016년 이후 부터는 모든 유조선에 설치되어야 하며 산소 농도 기준은 화물창 내 8% 미만으로 유지되어야 한다. 또한 대기 중의 공기가 유입되지 않게 항상 양압으로 유지되어야 한다.

※ IGG(Inert gas generator) : LNG선, Chemical선에서 사용됨
IGS(Inert gas system) : Oil tanker선에서 사용됨

□ **액체화물 선적시 불활성가스를 사용하는 이유는?** ★★★[감정사/검량사]

○ 기름과 같은 가연성 액체화물들을 적재하는 탱크는 항상 화재와 폭발의 위험을 안고 있다.

○ 이를 예방하기 위해 기관실 보일러의 배기가스를 냉각세척(Scrubber)하여 탱크 내에 불활성가스를 주입하는 불활성 가스주입장치 즉, IGS(Inert gas system)를 통해 탱크내부를 불활성 상태로 만들어 화재폭발을 방지한다.

○ 원유가스의 경우 산소농도 11.5% 이하이면 연소가 일어나지 않는 불활성 상태가 되는데 원유선에서는 IGS장치를 사용하여 탱크내의 산소농도를 8% 이하로 유지하고 있다.

□ LASH선 이란 무엇인가? ★[감정사/검량사]

○ Lighter Aboard Ship. 지역의 항만 특성에 알맞게 특수 건조된 선박으로 화물이 적재된 바지선(Lighter, Barge)을 본선에 적재하여 운송하는 선박을 말한다.

○ 주로 유럽의 라인강 등에서 이용하며 수심이 낮은 하천이나 운하를 경유하여 내륙까지 운송 가능. 화물을 적재한 부선을 선박에 적재하여 운송. 선체의 종방향으로 이동하는 크레인을 상갑판에 설치하여 수면 위로 하역함으로써 항만시설이 없는 항구에도 하역작업이 가능하다.

□ 이중저 구성재는 어떤 것이 있는가? ★[감정사]

○ 이중저(double bottom)구조는 종방향으로 중심선 거더가 용골상을 종통하며, 횡방향으로 늑골의 위치에 늑판을 배치한다

○ 그리고 외판에는 선저외판을, 내저에는 내저판을 덮고, 다시 내저 빌지 부근에는 마진플레이트를 덮어 탱크를 수밀 또는 유밀구조로 한 구조이다.

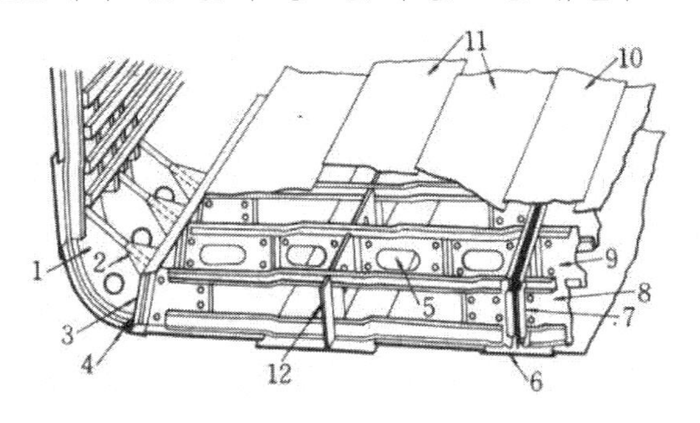

1. 이중저 외측 브래킷 2. 가셀 3. 마진 플레이트 4. 마진 5. 라이트닝 홀 6. 용골 7. 중심선 거더 8. 조립 늑판 9. 실체 늑판 10. 중심선 내저판 11. 내저판 12. 사이드 거더

□ **선박 운항 시 선체에 일어날 수 있는 변형은?** ★★★[감정사/검량사]

○ 외력에 의한 선체의 변형은 선체를 길이 방향에서 수직으로 굴곡시키려 하는 변형이 가장 크며 적재화물의 배치나 파손상태에 따라 종방향의 힘을 받는 경우는 호깅과 새깅, 횡방향의 힘을 받는 경우는 래킹과 비틀림, 국부적인 힘을 받는 경우는 팬팅과 슬래밍 등의 변형이 작용함

○ Hogging : 선체가 철형(凸形)으로 굴곡하려는 상태로서 선수미 선창에 중량화물을 만재한 때, 또는 선박의 길이와 같은 길이의 파도의 파정이 선체의 중앙에 놓인 때에 발생함

* hog의 뜻이 돼지이므로 돼지등의 굽은 모양을 연상하기 바람

○ Sagging : 선체가 요형(凹形)으로 굴곡하려는 상태로서 공선상태인 때, 또는 연이은 2개의 파정이 선수와 선미에 놓인 때 발생함

○ Racking : 선체가 횡 방향에서 파랑을 받거나 횡 동요(rolling)를 하게 되면 선체의 좌현과 우현의 흘수가 달라져서 변형이 일어나는 현상

○ Twisting : 선박이 비스듬하게 파랑을 받으면 선체의 부분에 따라 양현의 수면의 높이가 달라진다. 선수의 좌우현 흘수상태와 선미의 좌우현 흘수 상태가 서로 반대로 되면 선체는 비틀림을 받음

○ Panting : 선박이 대양 항해중에 황천을 만나면 선체가 심한 충격을 받으며, 특히 심한 롤링, 피칭으로 선수부와 선미부가 파랑의 심한 충격을 받는 것

○ Slamming : 선수부가 파도를 타고 올라갔다가 아래쪽으로 떨어질 때 수면을 강타하게 되며 이로 인하여 대형선에서는 선수에서 후방으로 선체길이의 1/8∼1/6정도까지의 선저가 평편한 부분에 격심한 충격을 받음. 이로 인하여 선저외판의 기복, 늑판과 항판의 변형, 또는 선체각부의 굴곡현상을 일으키는 경우의 원인이 되는 현상

☞ 「호깅과 새깅의 구분 설명하시오?」 또는 「호깅과 새깅을 각각 설명하시오?」라는 형태로 질의할 수 있다.

□ **전폭과 형폭에 대해 설명하시오?** ★[감정사]

○ 선박의 폭(Breadth)은 전폭과 형폭으로 구분된다.

○ 전폭(전나비, Bex : Extreme Breadth) : 선체의 폭이 제일 큰 곳에서 측정하며(일반적으로 중앙횡단면), 한쪽 외판의 외면으로부터 반대쪽 외면까지의 수평거리를 말한다. 운하통과 및 입거(docking)시에 사용되는 값이다.

○ 형폭(형나비, B.mld : Moulded Breadth) : 선박의 가장 넓은 부분, 즉 중앙횡단면에서 측정하며 한쪽 외판의 내연에서부터 다른쪽 외판의 내연까지를 측정한 거리를 말한다. 다른 표현으로는 늑골(frame)의 외면으로부터 다른 쪽 늑골 외면까지 잰 수평거리의 최대값을 형폭이라 한다. 형폭은 전폭에서 외판 두께의 두배를 뺀 값이다. 형폭은 강선구조규정, 선박만재수선규정에서 사용되고 있다.

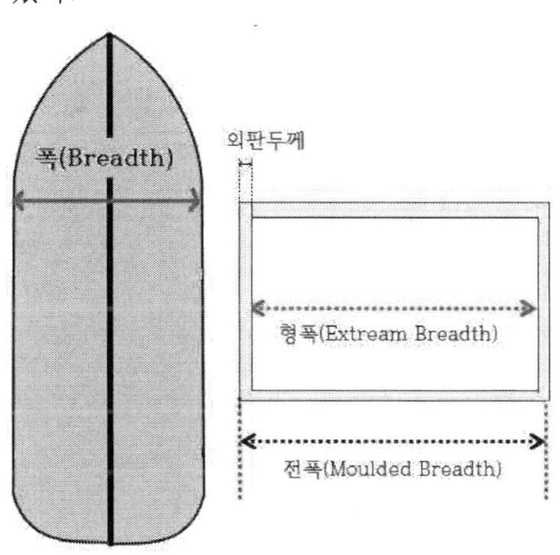

※ 형깊이(molded depth) : 중앙횡단면에서 용골(keel)의 윗면으로부터 상갑판 보(beam)의 현측 윗면까지의 수직거리를 형깊이라고 한다. 형깊이는 상갑판의 판두께를 포함하지 않는다. 용골의 윗면을 지나는 수평면은 정면도에서 기선(base line)으로 정의되며 따라서 형깊이는 기선으로부터 상갑판 하면까지의 수직거리이다.

□ 코퍼댐이란 무엇인가? ★★[감정사]

○ 방유구획(cofferdam)이라고 한다.

○ 완전하게 폐쇄시킨 수밀격벽 사이의 간격을 말하며 유조와 기관실 또는 화물창, 또는 이종의 유류를 넣은 유조간에 설치한 방유구획으로 누유에 의한 손해를 방지하기 위한 것이다.

□ 댐핑이 무엇인가? ★[감정사]

○ 선박에서 발생하는 소음을 낮추기 위한 방음대책중의 하나로 댐핑 레이어는 점탄성재료로 진동이 심한 구조물에 댐핑 레이어(damping layer)를 부착하

면 구조물의 진동이 저감되면서 진동으로 인해 발생되는 구조소음을 줄일 수 있다.

○ 다른 소음 저감방법으로는 흡음재 및 차음재 사용, 격실재배치, 탄성마운트 사용, 소음기 사용 등이다.

※ 댐퍼(damper) : 순환하는 공기의 방향·속도·양을 조절하기 위하여 덕트내에 설치된 장치

□ 디젤엔진은 점화 플러그가 있는가 없는가 또 그 이유는? ★[감정사]

○ 디젤엔진은 실린더 안에 공기를 흡입·압축해서 고온·고압으로 한다. 여기에 액체연료를 분사하여 자연발화 시킨 다음 피스톤을 작동시킴으로써 동력을 얻는 내연기관이다. 그러므로 점화 플러그가 필요 없다.

○ 디젤기관과 가솔린기관은 모두 내연기관의 일종이다. 내연기관이란 연료가 기관내부에서 연소되어 발생하는 열에너지를 기계적 에너지로 바꿔주는 기관을 말한다. 이러한 열기관은 보통 사용하는 연료에 따라 가솔린기관, 디젤기관 등으로 나눠지는데 이들의 작동원리도 조금씩 다르다.

○ 가솔린을 연료로 사용하는 가솔린기관은 연료와 공기를 기체상태에서 혼합하여 얻어진 혼합기를 압축하여 전기불꽃을 튀겨 이때 일어나는 폭발로 동력을 얻는다. 반면 경유나 중유를 사용하는 디젤기관은 실린더 내에 공기를 압축하여 고온고압 상태로 만든 후 여기에 액체연료를 분사해서 이 액체연료가 자연발화하면서 동력을 얻는다.

○ 가솔린기관은 다른 기관에 비해 출력이 크고 운전자 관리가 수월한 장점을 갖고 있다. 한편 디젤기관은 경유나 중유 등 값싼 연료를 사용할 수 있고 열효율이 높다는 장점을 갖고 있다.

□ WALL WASH TEST란? ★[감정사]

○ 화물탱크의 청소상태를 확인하는 방법

1) (Hydrocarbon test) 탄화수소의 잔량유무 또는 그 정도를 조사
2) (Chloride test) 염화물 농도 조사
3) (permanganate time test) 과망간산염 조사

□ **선박의 의장수로 무엇을 산출 할 수 있는가?** ★[감정사]

○ 선박의 의장수란 선박의 크기에 따라 적절한 용량을 가진 묘박장치, 계류장치의 결정을 위한 수치이다.

○ 따라서 본선에 적재, 설치할 묘박장치, 계류장치 등의 규격을 결정할 수 있다.

○ 국제선급협회(IACS, International Association of Classification Societies)의 통일규칙에 의해 정해진다.

□ **해치의 수밀 확인을 위한 방법은?** ★[감정사]

○ (육안) 해치커버의 고무패킹, 커버외판 등의 변형 및 파공, 균열, 녹슨 상태를 확인한다.

○ (측정) 줄자를 이용해 해치커버와 코밍간 간격 등이 일정한지를 확인

○ (특수도구 활용) 수분과 접촉하면 변색되는 분필이나 water finding paste를 접속부에 발라두고 주기적으로 변색 여부를 확인한다.

□ ISM CODE란? ★★[감정사]

○ International Safety Management Code. 선박의 안전운항 및 오염방지를 위한 국제안전관리코드를 말한다.

○ 국제적으로 체계적인 선박안전관리의 필요성에 대한 인식이 확산되면서 1993년 IMO에서 채택되어 1998년부터 시행하고 있으며, IMO에서는 ISM Code를 강제적으로 시행하도록 하기 위해 SOLAS 협약 제9장에 삽입하였으며 국제안전관리규약, 선박의 안전경영 및 안전운항과 해양오염방지 등을 위한 국제기준이 포함되어 있다.

○ 적용대상은 국제항해에 종사하는 1) 고속여객선을 포함한 모든 여객선, 2) 총톤수 500톤 이상의 모든 화물선 및 이동식 해상구조물이다

□ **선박 평형수에 대해 설명하시오 ?** ★[감정사]

○ 선박이 화물의 적재상태에 따라 필요한 균형을 잡기 위해 선박평형수 탱크에 주입하거나 배출하는 해수를 말한다.

☞ 23년 감정사 시험에서 「선박 발라스트(ballast tank) 탱크의 역할은 무엇인가?」라는 질문이 있었다.

□ 선체의 외력에 의한 선체의 변형에 대비한 구성재를 설명하시오?

★[감정사]

○ 선체의 변형에 대비하는 구성재는 종강력 구성재, 횡강력 구성재, 국부강력 구성재 등이 있다.

1) 종강력 구성재 : 종강력재는 선체가 호깅, 새깅 상태가 되었을 때 받는 힘을 견디기 위한 부재로서, 그때의 선체에 가해지는 힘은 갑판과 선저 및 외판에서 가장 크게 작용하므로 각종의 종통재와 용골에는 특히 강력한 부재를 배치한다. 용골, 중심선거더, 사이드거더, 마진판, 내저판, 종격벽, 갑판, 외판 등이 주요 구성재이다.

2) 횡강력 구성재 : 횡측에서 작용하는 수압과 파도로 인한 횡요시의 횡강력에 견디기 위한 부재로서 이 횡강력은 선측에서 주로 작용한다. 늑골(frame), 늑판, 갑판보(beam), 횡격벽, 브래킷, 이중저외측 브래캣, 필러(Pillar) 등이다.

3) 국부강력 구성재 : 선수부의 파랑에 의한 충격(panting)애 대항하기 위한 선수재, 프로펠러의 진동에 대항하는 선미재(stern frame) 등은 선체구성의 주요소가 될 뿐만 아니라 국부강력재가 되며 그 외에 상하합에 대한 Pillar(or Stanchion), 횡격벽 등이 있다.

☞ 「21년에는 횡강력재에 설명하시오?」 라는 문제가 출제되었다.

□ 벌크선에 대해서 설명하고 왜 벌크선에 실어야 하는지 설명하시오?

★[감정사]

○ 벌크선이란 포장하지 않는 곡물이나 광석과 같은 화물을 그대로 적재할 수 있는 화물전용선박이다

○ 벌크(Bulk)라는 말은 컨테이너 같은 별다른 중간포장을 하지 않고 화물을 그대로 실어버린다는 의미이다.

○ 원유선, LNG·LPG를 운반하는 가스캐리어, 광석운반선, 시멘트운반선, 곡물운반선등이 있다.

○ 벌크화물은 갑판의 해치를 열고 위에서 쏟아 붇거나 이송파이프 등을 통해 선적하여 빠른 시간에 하역(荷役, 화물을 싣고 내리는 일)할 수 있고 운송비용이 저렴하다.

□ **선회경의 길이에 대해 설명하시오?** ★[감정사]

○ 선박이 직진하는 상태에서 상당한 타각을 주고 그 상태를 유지하면 선박은 선회하면서 원운동을 한다. 이렇게 360도를 회전하면서 선박의 무게중심이 그리는 궤적을 선회권(Turning circle)이라고 한다.

○ 선회경(선회지름)이란 선박이 회두하여, 원침로로부터 180도 된 곳까지 원침로에서 직각 방향으로 잰 거리. 이것은 선박의 기동성을 나타내며, 전속 전진 상태에서 보통 선체 길이의 3~4배이다.

□ **선체의 길이(Length)의 종류를 설명하시오?** ★★[검량사]

○ 전장(LOA : Length Over All) : 선체에 고정적으로 부속된 모든 돌출부를 포함하여 선수의 최전단부터 선미의 최후단까지의 수평거리를 말하며 안벽 계류, 입거 등 선박 조종상에 필요한 길이.

○ 등록장(Lreg : Registered Length) : 상갑판 Beam상의 선수재 전면으로부터 선미재 후면까지의 수평거리로 선박원부에 등록되는 길이로서 선박국적증서에 기재

○ 수선간장(LBP : Length Between Perpendiculars) : 선체의 유체정역학적 계산의 기준이 되는 선수수선(FP ; forward perpendicular)과 선미수선(AP ; after perpendicular)사이의 거리

* 선수수선 : 계획만재흘수선(설계수선)과 선수재 앞면과의 교점
* 선미수선 : 명확한 타주(rudder post)를 가지는 선박에서는 타주의 뒷면과 계획만재흘수선과의 교점을 지나는 연직선이며 그렇지 않은 선박에서는 타두재(rudder stock)의 중심선과 설계수선과의 교점을 지나는 연직선

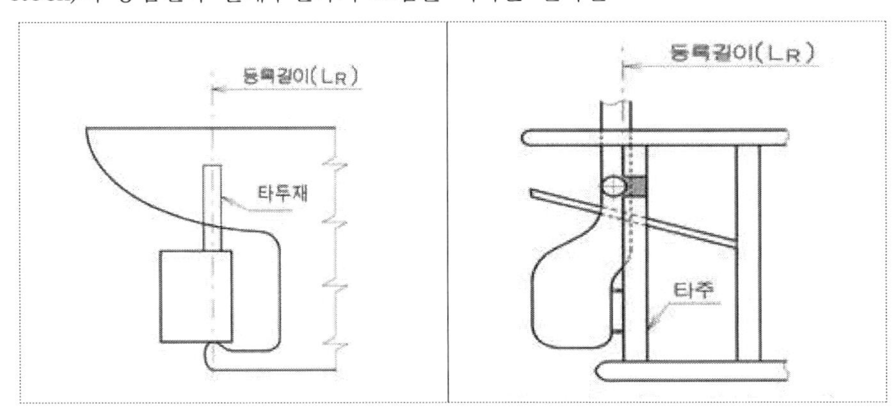

○ 수선장(LWL : Length on Water Line) 일반적으로 하계만재흘수선상에서 선수재의 전면부터 선미재의 후면까지의 수평거리를 말하며 임의의 흘수에 있어서의 수면상의 수평거리로 선체의 운동, 저항 등의 계산에 쓰인다.

○ 선박톤수측성에 관한 국제협약상 선체길이(건현장, LF : Freeboard Length) : 용골의 상면으로부터 측정한 최소형심의 85%에 해당하는 흘수선상에서 계측한 전장(수선장)의 96% 또는 그 흘수에 있어서의 선수재의 전면부터 타두재의 중심선까지 길이중 큰 것을 말한다. 단, 최소형심의 85%에 해당하는 흘수선은 계획만재흘수선에 평행한 흘수선이어야 한다.

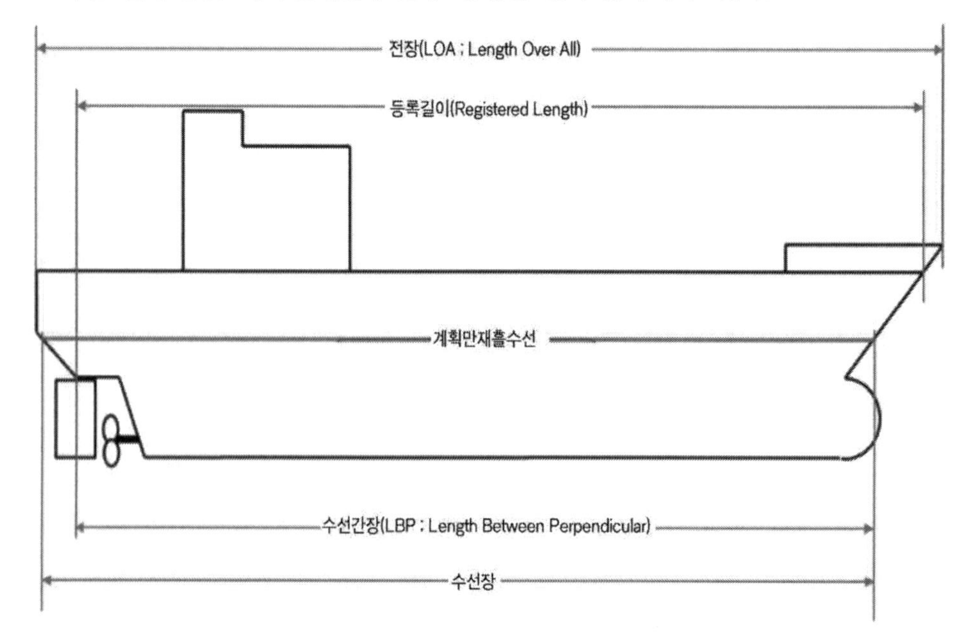

□ 프로펠러축의 부식방지를 위해 선미에 부착하는 것이 무엇인가?

★[감정사]

○ 아연판을 부착한다.

○ 해수와의 접촉에 의해 부식을 일으키기 쉬운 부분에 순도가 높은 아연판을 부착시키면 강판(Fe)과 아연판(Zn) 사이에는 두 금속의 이온화 경향의 차로 인한 전위차가 발생하여 전류가 흐른다. 이때 이온화 경향이 큰 아연이 해수로 양이온이 되어 녹아 나오고 강철은 해수로부터 전자를 받게 되면서 강판의 부식이 방지된다.

예 상 문 제

□ FSRU란 무엇인가?

○ Floating Storage & Regasification Unit. 부유식 LNG 저장 및 재기화 플랜트를 말함

○ 해상에서 LNG를 받아 액체로 저장했다가 재기화하여 파이프를 통해 육상으로 수송하는 해양플랜트를 말한다.

□ FPSO란 무엇인가?

○ Floating Production, Storage & Off loading. 부유식 원유생산 및 저장 설비를 말함

○ 해상에서 원유채굴부터 저장과 하역 등이 가능한 선박형태의 시추선이다.

□ 위그(WIG)선 이란?

○ Wing in Ground Effect Ship. 해면효과익선. 표면효과(surface effect)작용을 이용하여 수면에 근접 비행하는 선박

□ 선박의 중앙하단부의 선수부터 선미까지의 구조물은 무엇인가?

○ 용골(keel)이다. 선박의 선미에서 선수까지 보통 선저중앙에 길이방향으로 설치된 등뼈 구실을 하는 주요 구조재이다.

□ 용골의 종류?

○ 용골은 선저의 중심선에 있는 종통재를 말한다. 방형용골(bar keel), 평판용골(flat plate keel), 측판용골(side bar keel)로 구분한다.

□ 선미관 시스템의 종류?

○ 해수윤활식, 기름윤활식, 공기압식(에어가드식)

□ 선저를 이중저로 하면 좋은점은?

○ 좌초 등으로 선저부가 손상을 입어도 수밀이 유지되어 안전성이 높아지고

선저부의 구조를 견고히 해 호깅 및·새깅의 상태도 잘 견딘다.

○ 또한 이중저 내부를 구획하여 밸러스트, 연료 및 청수탱크로 사용할 수 있고, 탱크의 주배수로 선박의 중심, 횡경사, 트림등을 조절할 수 있다.

□ 이중선체구조에 대해 설명하시오?

○ 이중선체(double hull)는 선박 좌초, 충돌 등에 의한 화물창 파손시 유류유출을 최소화하기 위해 선체(선측 및 선저포함)를 두겹으로 건조한 형태를 말한다.

○ 5,000톤 이상 유조선은 2011.1.1.부터 이중선체 구조를 갖추어야 하고 연료유 탱크가 600m^3이상인 유조선 이외 모든 선박은 2010.8.1.부터 이중선체 구조를 갖추어야 함

□ Duct Keel이란 무엇인가?

○ 선체중앙부에 위치한 배의 등뼈같은 골재로서, 양측 2개의 girder가 중심선 girder의 역할을 하는 선체구조물이다.

□ 내저판이란 무엇인가?

○ 선박에서 중심거더, 측면 거더 및 늑판 등에 의해 지지되면서 이중저의 상면을 구성하는 선체구조물이다.

□ 현호(sheer)란 무엇인가?

○ 선수에서 선미에 이르는 갑판의 만곡으로 선체중앙부에서 가장 낮게 하고 선수와 선미를 높게하여

○ 선체의 예비부력과 능파성을 향상시키며 선체의 미관을 좋게 한다.

○ 선수에서 선체길이의 약 1/50이고, 선미는 약 1/100이다.

□ 캠버(camber)란 무엇인가?

○ 횡단면상에서 노출갑판의 선체중심선과 양현 끝단간 높이의 차를 말한다.

○ 노출갑판의 배수를 원활히 하고 선체의 횡강력을 보강하기 위해 양현쪽보다 선체의 중심선 부근을 높게 설계한다.

○ 선체의 중앙부분이 위로 약간 볼록한 곡선으로 되어 있고 선박최대폭의 약

1/50을 표준으로 한다.

☞ 현호(선미와 선수간)와 캠버(좌현과 우현간)를 구분할 줄 알아야 한다.

□ 선체의 구조에서 빌지(bilge)는 무엇인가?

○ 선저와 선측을 연결하는 만곡부를 말한다.

□ 텀블홈과 플래어를 구분 설명하시오?

○ 외현상부의 모양이 상갑판까지 안쪽으로 굽어진 정도를 tumble home이라 하고 바깥쪽으로 굽어진 정도를 flare라고 함.

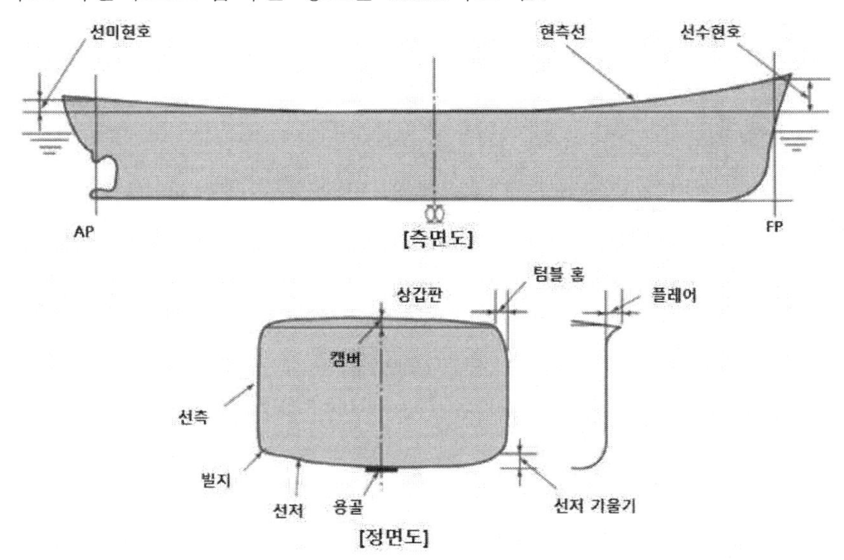

□ 수밀격벽(watertight bulkhead) 이란?

○ 충돌, 좌초 등으로 침수될 경우 그 구역에 한정시켜 선박의 침몰방지

○ 화재가 발생하였을 때 방화벽으로써 화재 확산방지

○ 선저, 선측, 갑판과 결합되어 선체의 횡강력 또는 종강력 형성

○ 화물을 적당히 분산, 적재하여 트림을 조절하는 기능

○ 화물의 특성에 따라 구분적재를 가능케 한다.

□ 선박의 의장수(Equipment number) 계산 목적은?

○ 선박을 해상에 이동 없이 고정시키기 위해서는 앵커와 앵커체인, 로프등의

의장품이 필요함

○ 이러한 의장품의 파지력과 절단하중은 해류로부터 작용하는 수압과 바람으로부터 작용하는 풍압 등의 유체저항력에 의해 결정된다

○ 따라서 이러한 유체저항력이 작용하는 선체의 총겉면직 넓이를 의미하는 값인 의장수(equipment number) 계산값으로 계선 및 계류시에 필요한 앵커의 중량, 앵커체인의 길이와 지름, 예인삭(towing line)과 계류삭(mooring line)의 개수, 길이 및 절단하중 등이 결정된다.

□ 계선과 계류장치를 구분하여 설명하시오?

○ 계선(anchoring)이란 선박이 묘박지에 정박시 바람, 조류, 파도 등에 의하여 떠밀려 표류하는 것을 방지하는 장치이며(anchor, anchor chain, windlass)

○ 계류(mooring)는 선박의 화물을 적하, 양하하기 위하여 항구에 본선을 고박하는 장치이다(mooring rope, mooring winch)

□ 화물창 커버의 정의와 종류?

○ 화물창 커버를 Hatch cover라고 함. 해치코밍과 덮개는 자연고무나 합성고무 제품의 개스킷을 장치하여 수밀을 유지하게 한다.

○ 폰툰 타입(pontoon), 폴딩 타입(folding), 롤링 타입(rolling), 멀티 풀(multi pull) 타입, 싱글 풀 타입(single pull)등이 있다.

□ 호퍼탱크(hopper tank)를 설명하시오?

○ 산적화물의 화물창 바닥의 양쪽에 설치되어 경사면을 따라 화물이 흘러 내려오게 하여 하역능률을 높이는 탱크

□ 4행정기관과 2행정기관을 설명하시오?

○ 4행정 사이클 기관 : 피스톤이 두 번 왕복 운동을 하는 동안에 흡입-압축-폭발-배기의 4행정이 1사이클을 마치는 기관으로 대부분의 자동차에서 이용된다.

○ 2행정 사이클 기관 : 피스톤이 한번 왕복하는 동안에 상승-하강의 2행정이 1사이클을 마치는 기관으로 소형기관에 주로 사용된다. 구조가 간단하고 무게가 가벼우나 연료소비율이 높고 수명이 짧다.

□ **감요수조(感搖水曹)란 무엇인가?**

○ 흘수선 아래 선내에 설치된 횡방향의 U자형 탱크로 물로 채워져서 선박의 롤링을 줄이는 역할을 하는 수조

□ **원심펌프와 왕복펌프의 차이점?**

○ 원심펌프는 대용량, 고양정에 적합하고 왕복펌프는 소유량, 고양정에 적합하다.

□ **유조선에서 정전기가 발생하는 경우 3가지 정도 설명하시오?**

○ 기름속에 함유된 고체나 물이 침강할 때

○ 기름이 노즐을 통해 분사될 때

○ 선적 초기 탱크내에서 기름이 요동할 때

□ **PSC에 대해 설명하시오?**

○ 항만국 통제(PSC ; Port State Control)

○ SOLAS에서는 협약의 요구조건을 만족시키지 못한 명백한 근거가 있다면 협약국은 다른 협약국의 선박을 검사하는 것을 허용하는 규정을 담고 있다. 이런 절차를 PSC라고 한다.

○ 인근 지역 국가간 MOU를 체결하여 통일된 원칙을 적용하여 기준 미달 선박에 대한 규제를 하고 있는데, 유럽은 Paris MOU, 우리나라 등 아시아 국가들은 Tokyo MOU에 속해있으며, 미국은 PSC를 단독으로 시행하고 있다.

□ **계획만재흘수선이란 무엇인가?**

○ DLWL(Designed Load Water Line)

○ 선박의 중앙부에 표시된 건현표 원표의 중심을 지나는 흘수선으로 하기만재흘수선과 동일하다. 최적의 운항조건을 갖도록 선정된 흘수로 대부분의 건조선의 성능시험은 계획만재흘수를 기준으로 한다. 만재배수톤수, 재화중량톤수를 산정하는 기준이 되고 수선간장(LBP)을 재는 기준이 된다.

□ **선회장에서 선박이 선회하는 경우 자선선회하는 경우와 예선이 있을 경우의 선회직경은 얼마인가?**

○ 자선선회의 경우 본선길이의 3배를 직경으로 하는 원이며 예선이 있을 경우에는 본선길이의 2배를 직경으로 하는 원으로 한다.

□ **선박 평형수 관리협약(BWMC)이란?**

○ 선박 평형수의 국가간 이동으로 외래생물종으로 인한 해양생태계 교란을 막기 위해 평형수를 배출하기 전에 해양생물을 제거할 수 있도록 처리장치 탑재를 의무화하는 내용

* International Convention for the Control and Management of Ship's Ballast Water and Sediments 2004(BWMC)

○ IMO에서 2004년 2월에 채택하였고, 2017년 9월부터 발효되어 모든 국제항해선박에 평형수 처리장치를 의무적으로 설치해야 한다.

○ 밸러스트 수처리장치 : 기계적, 물리적, 화학적 처리기술 등 3가지 유형

1) 기계적 장치 : 평형수만 빠져나가고 유해수중생물은 통화할 수 없도록 거르는 여과장치
2) 물리적 장치 : 전기분해, 오존분사, 자외선의 살균 작용을 이용해 유해생물을 없애는 살균장치
3) 화학적 장치 : 화학약품을 이용해 처리하는 장치

□ **밸러스트 수처리장치를 설명하시오?**

○ 기계적 장치 : 평형수만 빠져나가고 유해수중생물은 통과화할 수 없도록 거르는 여과장치

○ 물리적 장치 : 전기분해, 오존분사, 자외선의 살균 작용을 이용해 유해생물을 없애는 살균장치

○ 화학적 장치 : 화학약품을 이용해 처리하는 장치

※ BWMS(Ballast Water Management System) : 선박평형수 처리설비

제5장. 적화계획

○ 제5장은 감정사, 검량사, 검수사 시험에서 자주 출제되는 분야이다.

○ 앞 장에서 선박에 대해 알아보았다면 본 장에서는 선박에 화물을 하역하는 방법에 대해 알아본다.

○ 선박의 적하, 양하 비용을 선주와 화주중 어느쪽이 부담(예, F.I.O.)하느냐 하는 구분방법은 1차와 2차시험에서 빠지지 않고 출제되는 분야이다.

○ 화물을 얼마나 실을 수 있을지를 결정하는데 가장 기본이 되는 선박의 중량톤, 용적톤의 종류를 이해한다. 중량톤과 용적톤의 종류와 개념을 명확히 알고 있어야 한다.

○ 화물의 고박방법과 던니지는 거의 매년 출제되는 내용이다. 특히 고박방법의 경우 일반화물선과 컨테이너선의 경우를 구분하여 이해하고 있어야 한다.

○ 화물의 부피와 무게에 따라 달라지는 적화계수의 개념과 사용되는 단위에 대해서는 이해하여야 한다.

※ Key Word : 용적톤, 중량톤, 적화계수, 던니지

기 출 문 제

□ F.I.O란? ★★★[감정사/검량사]

○ 선내 적화, 양화 비용을 선주와 화주중 어느쪽이 부담하는냐에 따라 운임을 결정하는 방법중 하나이다.

○ Free In & Out이라고 하며 적화와 양화시 선창내 하역노임을 모두 화주가 부담하는 형태이며 운송자 입장에서 적하, 양하 비용이 면제(free)된다는 의미이다.

○ 식량, 비료, 광석 등 대량화물을 운송하는 부정기선이 대부분 취하는 형태이다.

○ 적화, 양하 비용을 선주(또는 운송인)가 부담하는 조건을 Berth Term 또는 Liner Term이라고 하고 주로 정기화물로서 General cargo 적하, 양하 조건을 말함

※ **FI**(Free In), **FO**(Free Out), **FIO**(Free In & Out), **FIOS**(Free In & Out, Stowed), **FIOST**(Free In & Out, Stowed & Trimmed)

□ 선박 용적톤의 종류는? ★★★[감정사/검량사/검수사]

○ 용적톤에는 총톤수, 순톤수, 표준화물선 환산톤수가 있으며 선박의 밀폐된 내부의 용적 100ft^3(2.83m^3)를 1톤[3]으로 하며 중량과는 관계가 없는 톤수이다.

1) 총톤수(GT ; Gross Tonnage) : ① "상갑판 하부 및 상부의 모든 폐위장소"에서 "규정상 제외가 가능한 곳의 합계용적"을 제외한 용적이다. ② 설비 등의 관계법규의 적용기준, 선박등록세, 검사수수료, 입거료 등의 기준
   * TONNAGE 1969(선박톤수측정에 관한 국제협약, 1982.7.18발효)
   * 국내법 : 선박톤수의 측정에 관한 규칙(선박법)

2) 순톤수(NT ; Net Tonnage) : ① 순톤수는 총톤수에서 선원, 항해, 추진에 관련된 공간을 제외한 용적으로 실제 화물을 적재하는 공간을 나타냄.

---

3) 이전에는 선박의 전용적에서 이중저구간과 상갑판 위에 있는 조타실, 기관실등을 공제시킨 용적을 100ft^3(2.83m^3)을 1톤으로 기준해서 표시했으나, 현재에는 계측방법을 세계적으로 통일한 선박톤수에 관한 국제협약을 기본으로 국제총톤수가 적용되고 있다.(Daum 해양수산용어사전)

② 톤세, 등대세, 위생세, 검역수수료, 계선안벽 사용료등의 기준

* 순톤수는 총톤수의 약 65% 정도

3) 표준화물선 환산톤수(CGT ; Compensated Gross Tonnage) : ① 조선업계에서 사용하는 톤수로 신형이 복잡해지면서 기존의 GT로는 정확한 평가가 불가능해지자 새로운 척도의 필요성 대두 ② 선박의 총톤수(GT)에 여러 가지 선종별 계수를 곱하여 선박 건조량을 나타내는 톤수. 유조선처럼 단순한 화물을 싣는 선박과 LNG선처럼 복잡한 설비 및 구조를 가진 선박의 건조 작업량이 다른데 단순히 총톤수로 나타내는 것이 비합리적이라 채택 ③ 화물선 1만GT(1.5만DWT)의 1GT당 건조에 소요되는 공사량(가공공수)을 1.0으로 하여 각 선종 및 선형과의 상대적 지수로서 CGT계수를 설정하여 계산한다.

☞ 총톤수, 순톤수, 표준화물선 환산톤수에 대해 개별적으로 질의할 수 있다.

□ 선박의 중량톤에 대해서 설명하시오? ★★★[감정사/검량사]

○ 중량톤에는 만재배수톤수, 경하배수톤수, 재화중량톤수가 있다.

1) 만재배수톤수(Full Load Displacement) : 화물, 연료, 청수, 식량 등을 적재하고 하기만재흘수선으로 선박의 중량을 측정

2) 경하배수톤수(Lightship Displacement) : 선박자체의 무게를 톤수로 나타낸 것이며 선박의 고유무게에 가장 근접한 톤수, 법정 spare part, 메인엔진 시동을 위한 각종기기, 파이프, 탱크내에 들어있는 최소한의 연료·보일러수 등은 경하배수량에 포함

3) 재화중량톤수(Dead Weight Tonnage) : 「만재배수톤수 - 경하배수톤수 = 재화중량톤수(적화중량톤수)」이다. 주로 화물선이나 유조선의 크기를 나타내며 선박에 적재할 수 있는 최대 화물무게를 나타낸다. 적하중량에는 연료, 식량, 용수, 음료, 창고품, 승선인원 및 그 소지품등이 포함되어 있으므로 실제 수송할 수 있는 화물 톤수는 재화중량에서 이들 중량을 차감해야 하며 이것을 순적화중량톤수라 한다.

□ 적화중량톤수란? ★★[감정사/검량사]

○ 재화중량톤수(Dead Weight Tonnage)라고도 한다. 「만재배수톤수-경하배수톤수=재화(적재)중량톤수」이다. 주로 화물선이나 유조선의 크기를 나타내며 선박에 적재할 수 있는 최대화물무게를 나타낸다.

○ 적하중량에는 연료, 식량, 용수, 음료, 창고품, 승선인원 및 그 소지품등이 포함되어 있으므로 실제 수송할 수 있는 화물 톤수는 재화중량에서 이들 중량을 차감해야 하며 이것을 "순적화중량톤수"라 한다.

□ 용적톤과 중량톤의 정의와 차이점에 대해 설명하시오?

★★★[감정사/검량사]

○ 용적톤에는 총톤수, 순톤수, 표준화물선 환산톤수가 있으며 선박의 밀폐된 내부의 용적을 톤수로 나타내므로 중량과는 관계가 없는 톤수이고

○ 중량톤에는 만재배수톤수, 경하배수톤수, 재화중량톤수가 있으며 선박 자체의 중량을 나타내는 배수톤수와 선박에 실을 수 있는 화물의 중량으로 표시되는 재화(적화)중량톤수가 있다.

※ 파나마운하와 수에즈 운하는 각각 운하 통과세를 부과하는 톤수기준을 별도로 가지고 있으며 순톤수를 기준으로 하나 제외되는 공간을 나름대로 정의하고 있다.

□ 화물 고정방법(이동방지작업)에 대해서 설명하시오?

★★★[감정사/검량사]

○ 선박에서 화물을 고정하는 방법은 1) 지주법, 2) 고박법, 3) 쵸킹 등으로 구분할 수 있다.

1) 지주법(Shoring, 쇼링) : 목재, 철재, 벨트 등을 이용하여 컨테이너 내 화물을 움직이지 않도록 고정하는 것이다. 견고한 끈으로 화물을 컨테이너 벽면에 고정되도록 하거나 쇼링바(shoring bar)로 불리는 목재나 철재를 이용하여 지지하는 방법이 있다. 목재 쇼링을 할 때는 병충해 유입가능성이 있기 때문에 특수 열처리된 목재를 사용하여야 한다. 선박에 적재된 화물을 고정시킬 때에 사용되는 지주법의 정의는 버팀목(shores)과 버팀대(brace)로 선박에 실린 화물이 선박의 흔들림에 따라 움직이는 것을 방지하기 위하여 고정시켜 주는 방법을 말하기도 한다.

2) 고박법(Lashing, 라싱) : 화물이나 컨테이너를 선박에 고정시키는 것과 화물을 컨테이너에 넣고 고정시키는 것 모두를 뜻하는 용어이다. 즉, 로프, 와이어 등을 이용하여 선적된 컨테이너와 화물을 고정시키는 것과 벨트를 이용하여 컨테이너내 물품을 고정하는 것을 라싱이라고 한다. 유럽, 미주 등에서는 오렌지색 벨트를 요구한다. 화물을 컨테이너에 적입할 때는 컨테이너 측벽이나 바닥에 설치된 라싱 아이(lashing eye)나 라싱 링(lashing ring)에 로프나 밴드를 사용하여 고정시킨다. 갑판에 적재된 목재화물의 라싱법은 턴 버클(turn buckle)을 사용하여 졸라매고 풀때는 슬립 훅(slip hook)을 사용한다.

3) 쵸킹(Chocking), 브레이싱(Bracing), 블로킹(Blocking) : 적재화물 사이의 빈공간에 목재나 에어백 등 보강물로 틈을 매워 화물간 흔들림을 최소화시키는 고정작업이다. 브레이싱은 화물이 위아래로 흔들리지 않도록 고정하는 것을 말하고 블로킹은 화물이 좌우/앞뒤로 움직이지 않도록 고정하는 것을 말한다.

☞ 용어에 대해 개별적으로 질문할 수 있다. 컨테이너 전용선에서 시큐어링과 라싱방법에 대해서는「제7장 컨테이너 운송」편에서 자세히 기술하였다.

□ 곡물 운송시 이동을 방지하기 위한 방법? ★[감정사]

○ 곡물의 이동방지에는 시프팅 보드, 배깅, 스트래핑 등이 있다.

1) 시프팅 보드(shifting board) : 항해 중 곡물이 선체의 동요에 의한 횡방향 이동을 방지하기 위하여 설치하는 것을 말한다.

2) 베깅(Bagging) : 선창 아래부분은 오목하게 또는 평평하게 곡물을 벌크상태로 적재한 후 그 상단의 남은 공간에 백(bag)에 담긴 곡물을 상단에 적재하여 이동을 방지한다.

3) 스트랩핑(Strapping) : 곡류의 이동을 방지하기 위하여 래싱 와이어(lashing wire) 또는 철재끈(steel strap) 등을 이용하여 곡류표면을 고정시키는 방법이다.

○ 선박이 항해중 곡물의 횡방향 이동을 방지하기 위해서 화물창내에서 설치하는 것을 곡물적재설비(Grain Fiting)라 한다. 구체적으로 피더박스(feeder box), 시프팅 보드(shifting board) 및 탑 사이드 윙 탱크(top side wing tank)를 지칭한다.

* 상갑판하의 좌현 및 우현 측에 톱 사이드 탱크를 설치하여 배의 동요에 따른 화물의 이동을 방지한다. 톱사이드 탱크는 공선시에는 밸러스트 탱크로 사용되고 일부 곡물운반선에서는 화물을 적재하는 공간으로도 사용된다.

□ 던니지(Dunnage)란 무엇인가? ★★[감정사/검량사]

○ 화물자체를 선박에 적재할 때 화물상호간 또는 화물과 선체의 마찰로 인한 손상방지, 화물무게분산, 화물이동방지 및 습기등으로 부터 보호하기 위하여 각목으로 화물사이에 끼우거나 판재, 매트등을 밑바닥에 까는 자재를 말한다.

○ 던니징(dunnaging)의 잘못으로 인하여 생긴 화물의 손해는 운송인이 배상책임을 지게 되므로 본선에서는 화물적재시 운송인으로서 최선을 다하였음을 입증할 수 있는 '적부감정서(stowage survey report)'를 받아 놓는다.

○ 던니지용 재료로는 목재, 대나무, 매트, 버랩(burlap), 방수지(kraft paper, Vinyl), 목재 통풍통(Venetian ventilator), 시프팅 보드(shifting board), 던네지용 화물 등이 있다.

☞ 던니지에 대해서 설명하시오? 또는 던니지를 사용하는 이유, 사용목적, 사용장소 등에 대해서도 질문할 수 있다.

□ 선내작업의 종류는? ★[감정사]

○ 선내 양하작업과 적하작업이 있다

○ 선내작업이란 선내의 화물을 부선내 또는 부두위에 내려놓고 훅을 풀기전까지의 작업을 선내 양하작업이라 하고 부선내 또는 부두위에 훅이 걸어진 화물을 본선내에 적재하기까지의 작업을 선내 적하작업이라 함

□ 적화계수(Stowage Factor)란? ★★★[감정사/검량사/검수사]

○ 선창에 화물을 적재하였을 때, 화물 1롱톤이 차지하는 선창용적(ft^3)을 나타낸다. 부피가 작으며 무거운 화물일수록 적화계수가 작게 나타난다. 일반적으로 적화계수라고 하면 화물틈을 포함하는 경우를 말한다.

$$\text{적화계수(S/F)} = \frac{\text{사용한 선창구획의 총베일 용적}(ft^3)}{\text{구획안에 만재한 화물의 중량(L/T)}}$$

☞ 22년 감정사 시험에서는 일부 면접관이 적화계수를 단위를 변환하는 방법에 대해 질문이 있었다. 중량이 LT(롱톤)일때 용적은 ft^3이므로 적화계수 단위

는 ft^3/LT이 되고, 중량이 MT(메트릭톤) 일때 용적은 m^3이므로 적화계수 단위는 m^3/MT가 된다.($1m^3$ = $35.3ft^3$)

☞ 23년에 감정사 시험에서는 적화계수단위는 「롱톤만 되고 메트릭톤은 안되는가?」 라는 실문이 있었다.

<예1> 베일용적이 400,000 ft^3인 화물창에 적화계수가 50인 화물을 가득 싣는다면 화물의 무게(L/T)는?

☞ $\text{적화계수(S/F)} = \dfrac{\text{사용한 선창구획의 총베일 용적}(ft^3)}{\text{구획안에 만재한 화물의 중량(LT)}}$,

$50 = \dfrac{400{,}000ft^3}{LT}, \quad LT = 8{,}000$

<예2> 일반화물선 선창의 베일 용적(Vb)이 34,425 m^3이다. 적화계수(S/F) 75 (2.093m^3/T)의 잡화를 싣는다면 최대 적재 중량(ton)은 약 얼마인가?

☞ $\text{적화계수(S/F)} = \dfrac{\text{사용한 선창구획의 총베일 용적}(m^3)}{\text{구획안에 만재한 화물의 중량(MT)}}$,

$2.093m^3/T = \dfrac{34{,}425m^3}{ton}, \quad ton = \dfrac{34{,}425m^3}{2.093m^3/T} = 16{,}447.7$

□ 밀과 철의 적화계수의 차이에 대해 설명하시오? ★[감정사]

○ 적화계수란 화물 1롱톤이 차지하는 선창용적을 ft^3단위로 표시한 값이다. 적화계수가 작을수록 중량화물이다.

○ 적화계수값이 밀 50, 철 14이다.

* 시멘트 32, 석탄 42~48, 쌀 50~52, 감자 70

○ 선창에 적재할 수 있는 화물량은 화물의 중량 및 모양, 즉 적화계수에 따라 달라지게 된다. 적화계수가 큰 경량품은 화물 1톤을 적재하는데 적화계수가 작은 중량품보다 많은 선창용적이 필요하므로 적재할 수 있는 화물량은 선박의 적용용적에 의해 제한을 받는다.

○ 또한 각각의 화물은 고유한 적화계수를 가지지만 같은 화물일지라도 적재하는 방법과 장소에 따라서 적화계수는 변화한다.

□ L/F (Load Factor)란 무엇인가? ★[감정사]

○ 선박 또는 컨테이너 화물의 적재능력 또는 전체 화물용량에 대하여 실제로

화물의 적재량을 나타내는 소석률(消席率, fill up ratio)을 말한다.

○ 화물적재율, 선복대비 화물적재율, 수송능력에 대비하여 실제화물을 수송한 비율, 실제 적재한 화물을 적재 가능한 화물로 나눈 수치, 컨테이너 적재능력에 대한 실제 컨테이너 적재비율, 주로 컨테이너선을 대상으로 수송능력에 대비하여 실제화물을 수송한 비율, 배에 최대로 실을수 있는 수준과 비교해 화물이 어느 만큼 실었느냐를 측정하는 비율 등을 말한다.

□ 고철을 적재한 배가 입항한 후에 사람이 바로 들어가면 어떻게 되겠는가? ★[감정사]

○ 화물이 불균일하게 적재되어 있어 1) 철편의 전락에 의한 인명피해, 2) 녹과 먼지 등 불순물로 인한 분진이 발생되어 공기오염의 우려, 3) 산화작용으로 인해 산소농도가 저하되어 질식의 위험이 있다.

○ 화물탱크에 들어가기 전에는 반드시 통풍을 하고 휴대용가스 검지기를 지참해야 한다.

□ 화물적부도는 무엇인가? ★★[감정사]

○ 화물적부도(cargo stowage plan)는 각 구역의 적화상태를 일목요연하게 파악할 수 있게 함으로써 하역의 진행을 편리하게 하며 양륙착오 등의 화물사고가 없게 하기 위한 목적으로 작성한다.

○ 본선 선창에 화물이 적재된 상태를 나타낸 도면으로 양륙지에서 하역작업에 중요한 참고자료가 된다.

☞ 「화물적부도 작성 목적이 무엇인가?」 라고 물어보기도 한다.

□ STOWAGE PLAN(화물적부도)을 2번 작성하는 이유는? ★★[감정사]

○ 화물적부도는 선적 전에 작성하는 "적화계획 적부도"와 적화작업이 완료된 후 작성하는 "완성 적부도"가 있다.

○ 두번 작성하는 이유는, 실제 화물 선적 작업을 하게 되면 최초 계획과는 다르게 선적하는 경우가 있기 때문에, 화물을 선적하기 전 1회 작성하고, 화물을 선적한 후 1회 작성 하는 것이다,

□ **그레인용적과 베일용적을 구분 설명하시오?** ★[검량사]

○ 적화용적은 화물을 싣기 위해 사용되는 선창안의 전체용적을 말하는 것으로서 적화용적에는 그레인용적(Grain capacity)과 베일용적(Bale capacity)이 있다.

1) 그레인용적 : 이 용적은 선창 내 외판의 내면, 선저 내판의 윗면, 갑판의 밑면으로 이루어지는 선창용적에서 프레임, 갑판 빔(Deck beam), 사이드 스파링(Side sparring), 기둥(Pillar) 및 갑판 거더(Deck Girder) 등의 용적을 공제한 용적을 말한다. 즉, 선창용적의 0.5%를 공제한 용적을 말한다. 광석이나 곡물 등을 선창안에 산적(Bulk) 상태로 적재했을 때에 차지하는 선창용적이 된다.

2) 베일용적 : 베일등 포장된 화물을 선창안에 실었을 때 차지하는 선창용적으로 일반적으로 베일 용적은 그레인 용적의 90~93% 정도가 된다.

□ **해상운송과 육상운송의 장단점에 대해 설명하시오?** ★[감정사]

○ 해상운송은 주로 원거리, 수출입화물, 원자재 등 대량화물 운송에 적합하다.

○ 육상운송은 주로 단거리, 소비자제품, 택배 등 소량화물 운송에 적합하다.

○ 복합운송은 해상, 육상 운송의 장단점을 보완하는 방식이다. 해상운송으로 원거리까지 운송한 화물을 육상으로 최종목적지까지 운송하는 방식이다.

□ **화물사고의 원인과 종류에 대해 설명하시오?** ★[감정사]

1) 하역작업중 발생되는 화물사고

① 하역작업원의 부주의와 작업미숙 ② 인부들의 무분별한 Hook의 사용 ③ 선내 하역설비 및 용구의 불비와 결함 ④ 과도한 무게를 적재하는 Sling 사용 ⑤ 일기를 감안하지 않는 무리한 하역작업 ⑥ 야간하역중 사고 ⑦ 미숙하거나 부정한 검수인으로 인한 화물수도(貨物受渡)에 있어서의 사고 ⑧ 발하(Pilferage)

* 화물이 포장 단위로 몇 개가 도둑맞은 것을 절도(Theft)라 하고 한 포장내의 내용품을 부분적으로 도둑맞은 것을 발하라고 한다.

2) 선창설비 불량에 의한 화물사고

① 누수로 인한 화물의 유손(濡損, Wet damage), 오손(汚損, Staining), 부패변질 ② 사이드 스파링(Side Sparring), 림버 보드(Limber Board), 스카퍼 파이프(Scupper Pipe), 버텀 실링(Bottom Ceiling)의 불완전, 빌지 파이프

막힘, 통풍환기시설의 결함 등 선창설비 불량 ③ 선창소제의 불완전 등

* 통풍환기는 항해중에 가장 중요한 화물의 관리방법이다. 통풍환기가 잘못되면 습기(sweat)가 발생하여 화물에 막대한 손해를 입히는 경우가 많다

* Side Sparring(선측 내장판) : 화물을 적재하는 선창내 양현측 외판에 붙어있는 프레임에 앵글을 설치하고 화물이 선체외판과 직접 접촉하는 것을 방지하여 습기 등에 의해 화물의 손상을 예방하는 일종의 보호장치

* Limber Board(오수로 판) : 선체 및 만곡부에 괸 오수(bilge)를 검사하기 위하여 설치된 판

3) 화물적부 불량에 의한 화물사고

① 다종 다양한 화물의 혼적 및 분리방법의 부적절 ② 화물에 따른 적부장소의 선정 불량 ③ 던니지 사용방법의 부적절 등

* 화물의 성질에 적합한 장소에, 적합한 방법으로 화물을 적부하는 것은 화물사고 발생시 운송인의 입장을 가장 유리하게 하는 중요한 화물취급법이다.

4) 해상운송중 관리불량에 의한 화물사고

① 통풍환기불량 ② 방수불량 ③ 빌지측심불량 ④ 자연발화성, 인화성 화물 등에 대한 화재 예방활동 부족

* 본선 항해사는 부패, 변질의 우려가 있는 화물에 대해서는 수시로 화물상태를 점검하고 기상의 변화에 따라 적절한 화물관리를 하는데 노력을 기울어야 한다.

5) 화물의 성질에 의한 불량

① 화물의 포장 및 화표(Cargo mark)의 불량

② 화물 고유의 성질에 의한 손상

6) 황천에 의한 화물사고

① 운항중 황천에 의한 선박의 동요로 화물의 이동 때문에 마손(摩損), 찌그러짐 등의 사고가 생기고 통풍로를 막아 습기피해(Sweat damage)를 야기시키며 파랑의 침입으로 인한 화물의 해수 피해

예 상 문 제

□ 선적, 양하 및 본선내의 적부, 화물정리비를 모두 화주의 책임과 비용으로 이루어지는 조건은?

○ FIOST(Free In & Out, Stowed & Trimmed)

□ 일반화물의 종류에 대해 설명하시오?

1) 정량(精良)화물(clean cargo) : 다른 화물과 혼적해도 손상을 주지 않으나 혼적시 다른 화물로부터 손해를 입을 우려가 있는 면포, 양모 등과 같은 화물
2) 조악(粗惡)화물(rough cargo) 또는 불결화물(dirty cargo) : 피혁, 자반(鹽魚) 등과 같이 물이 세어 나오거나 악취 등이 나는 화물
3) 액체화물(wet cargo, liquid cargo) : 액체나 반액체 화물을 캔, 통(barrel, cask) 등에 넣은 선적화물로 용기가 파손되면 다른 화물에 손상을 입히게 되는 화물
4) 발한(發汗)성 화물 : 화물이 수분을 함유하고 있어 운송중 수분이 증발하여 선창내 공기가 다습하게 될 수 있는 화물

☞ 일반화물과 특수화물을 구분 설명할 수 있어야 한다.

□ Dirty cargo를 예를 들어 설명하시오?

○ 피혁, 자반(鹽魚) 등과 같이 물이 새어 나오거나 악취 등이 나는 화물
○ 조악화물(rough cargo) 또는 불결화물(dirty cargo)이라고 한다.

□ 특수화물의 종류에 대해 설명하시오?

1) 위험화물(dangerous cargo) : 화약류, 폭발성, 발화성, 부식성 및 독성 등의 위험성이 있는 화물. IMDG Code의 적용을 받는다.
2) 부패성화물(perishable cargo) : 야채, 과일, 어육류의 가공품 등으로서 운송중에 환기불량, 고온, 고습 등의 원인으로 부패, 변질될 위험성이 있는 화물
3) 냉장화물(refrigerated cargo) : 부패성 화물로써, 그 부패성 또는 운송기간 및 기온 등의 관계로 인하여 냉장운송 할 필요가 있는 화물을 특히 냉장화물이라 한다.

4) 고가화물(valuable cargo) : 금, 은, 귀금속, 화폐, 유가증권, 공예품, 정밀 기계 등과 같은 고가에 대해서는 귀중품 창고(Treasure room)에 보관한다.
5) 생동식물화물(live stock and plant) : 소, 말 등의 가축류, 조류, 어류 및 묘목 등의 동물과 식물이 산 채로 운송되는 화물.
6) 중량화물(heavy cargo) : 기관차, 객차, 자동차, 보일러 등과 같이 1개의 무게가 특별히 무거운 화물을 말한다.
7) 용적화물(bulky and lengthy cargo) : 비행기, 주정(舟艇, 소형배) 등과 같이 길이가 보통 30피트 이상이 화물이 여기에 속한다.
※ 석탄, 곡물과 같이 포장되지 않는 상태로 운송되는 Bulk Cargo와는 구분하여야 한다.
※ bulky cargo를 용적화물, lengthy cargo를 장척화물이라 구분하기도 한다

□ 냉장화물의 종류는 어떻게 구분하는가?

1) Frozen cargo : 냉동화물(-6.7℃ 이하)
2) Chill cargo : 냉온화물(-1 ~ +5℃)
3) Cooling cargo : 양온화물(5 ~ 16℃)

□ Bulky cargo, Lengthy cargo를 예를 들어 설명하시오?

○ 보일러, 발전기, 항공기, 교량부선 등과 같이 용적이 크기 때문에 배의 선창 내부로의 반입이 불가능하거나 곤란한 화물을 말한다. 이들은 보통 상갑판에 적재된다. 레일이나 건축용자재와 같이 특별히 긴화물(lengthy cargo : 장척화물)도 같이 취급된다.
○ 또는 공장시설, 플랜트, 대형기계, 건축자재, 교량과 구조물등과 같은 단위 용적이나 길이가 너무 커서 특수 장비나 취급이 필요한 화물을 말한다.
※ OOG(Out Of Gauge) : 규격초과화물 〈 BBK(Break Bulk) : 여러개의 '플랫랙(flat rack) 컨테이너'가 필요한 화물

□ Bulky cargo, Bulk cargo, Break bulk cargo를 구분 설명 하시오?

1) Bulky cargo : 보일러, 발전기, 항공기, 교량부선 등과 같이 용적이 특별히 크기 때문에 배의 창구에서 선창내로의 반입이 불가능하거나 곤란한 화물을 말한다. 이들은 보통 상갑판에 적재하게 되는데 레일이나 건축용 자재와 같

이 특별히 긴 화물(lengthy cargo)도 같이 취급된다.

2) Bulk cargo : 살적(撒積)화물, 곡류, 광석등과 같이 입자나 분말상태 또는 액체상태로 상자, 팔레트 등으로 규격화될 수 없는 화물을 말한다. Bulk cargo는 용기에 넣지 않고 선창이나 선박의 탱크에 적재된다.

3) Break bulk cargo : 두가지 의미를 가지고 있다.

① bulk화물을 어떤 용기 또는 포장재 즉, drum, crate, skid 등으로 포장된 화물

② 크기로 인해 컨테이너 같은 용기에 수납할 수 없는 화물. 특히 컨테이너화 되지 않고 재래 정기선에 의하여 운송되는 화물을 말함

* OOG (Out of Gauge) 화물처럼 40ft flat rack과 같은 컨테이너로 선적 할 정도의 크기가 아닌 훨씬 큰 화물을 말한다.

□ 적재장소에 의한 화물 분류방식에 대해 설명하시오?

1) Hold cargo : 창내적 화물, 화물창에 적재하여 운송하는 화물

2) On deck cargo : 갑판적 화물, 갑판상에 적재하여 운송하는 화물

3) Locker cargo : 특수 창고화물

4) Refrigerating cargo : 냉장화물

5) Ventilation cargo : 과일, 야채와 같이 환기를 필요로 하는 화물

6) Ballast cargo : 선창 및 선박균형을 위해 적재하는 화물

7) Top stowage cargo : 상적화물

□ 복합일관(一貫) 수송화물과 단일운송 계약화물 방식을 구분설명 하시오?

1) 복합일관 수송화물(Multi-modal transportation cargo) : 화물의 수령지에서 인도지까지의 운송을 단일운송인의 책임으로, 단일운임으로, 두 가지 이상의 이종운송수단을 결합하는 복합운송계약 화물을 말한다. (예 : 선박+기차 또는 자동차)

2) 단일운송 계약화물(Uni-modal transportation cargo) : 일관운송을 인수한 운송인이 그의 책임으로 화물의 수령지에서 인도지까지 운송하는 동안 동종의 운송수단을 결합하여 목적지까지의 운송하는 일관운송계약화물을 말한다. (예 : 수령지에서 A선박에 선적+연계지에서 B선박 또는 C선박으로 환적)

□ 환적화물이란 무엇인가?

○ Transshipment cargo

○ 전 운송구간을 한 개의 운송계약으로 맺은 경우 운송도중에 원래의 운송수단으로부터 다음의 운송수단에 바꾸어 실어 접속 운송하는 화물을 말한다.

○ 좁은 의미로 다른 선박에 옮겨 실은 경우만을 말하기도 하지만 가양륙한 후 같은 선박에 적재된 경우도 포함되기도 한다.

□ Land Bridge System의 종류에 대해 설명하시오?

○ 해상과 대륙을 잇는 복합운송 수송방식이다.

○ 국제무역에서 대륙을 횡단하는 철도나 도로가 해상과 해상을 잇는 교량처럼 활용되는 복합운송경로를 말한다.

○ 대표적인 LBS는 다음과 같다.

1) MLB(Mini Land Bridge) : 극동→미국 서부항만→대륙횡단→미국 동부항만
2) ALB(American Land Bridge) : 극동→미국 서부항만→대륙횡단→미국 동부항만→유럽 등
3) SLB(Siberian Land Bridge) : 극동→러시아→시베리아횡단열차→유럽,중동
4) CLB(Canadian Land Bridge) : 극동→캐나다·미국 서부항만→캐나다 몬트리올→유럽 등

□ 중량품과 경량품을 구분 설명 하시오?

○ 용적이 $40ft^3$인 화물의 무게가 1L/T을 초과하는 화물을 "중량품"이라하고 1L/T이하인 화물을 "경량품"으로 구별한다.

□ CKD 화물을 무엇이라 하는가?

○ Complete Knock Down. 반완성품. 운송비 절감을 위하여 중고자동차등을 부품상태로 수출하여 현지에서 완성품으로 조립하는 방식이다.

□ 발라스트 카고는 무엇인가?

○ Ballast tank, Deep tank 등에 해수 또는 청수를 채우는 것이 Water ballast tank이고, 그래도 부족한 경우에는 모래, 자갈, 흙 등을 Ballast로 해서 적재하는데, 이것을 고체(solid) Ballast라 한다. Ballast 대신에 운임

이 아주 싼 Ballast용 화물(Cargo Ballast)을 싣는 경우도 있다.

□ 재래선 화물의 육상작업의 종류는?

○ 상차작업 : 선내작업이 완료된 화물을 훅을 푼 다음 운반구 위에 운송 가능한 상태로 적재 하기까지의 작업

○ 하차작업 : 운반구 위에 적재되어 있는 화물을 내려서 본선측에 적치, 선내작업이 이루어 질수 있도록 하기까지의 작업

○ 출고·상차작업 : 창고 또는 야적장에 적치되어 있는 화물을 출고하여 운반구 위에 운송 가능한 상태로 적재하기까지의 작업

○ 하차·입고작업 : 운반구 위에 적재되어 있는 화물을 내려서 창고나 야적장에 보관 가능한 상태로 적치 하기까지의 작업

□ 화물의 정지각이란?

○ Angle of Repose. 어느 화물의 원추형 사면이 수평면과 이루는 각도를 말한다.

○ 정지각이 적으면 적을수록 이동성이 크며(잘 흘러내린다) 화물 입자간의 마찰정도에 따라 차이가 있다. 즉 정지각이 50도인 화물이 30도인 화물보다 덜 흘러 내린다.

※ 곡류(20~30도), 석탄(30~40도), 광석(30~50도)

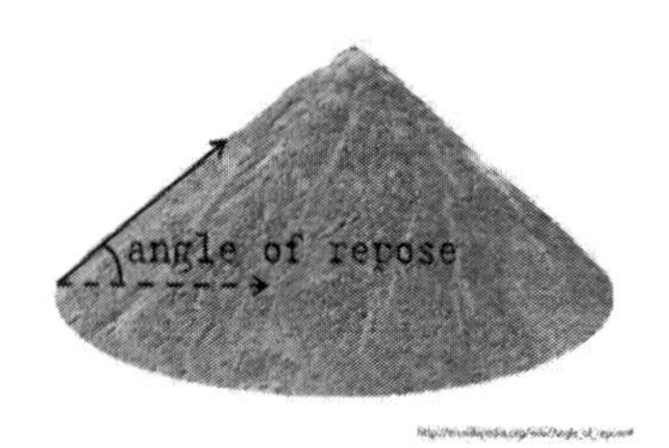

□ 액상화 화물이란?

○ 운송허용 수분치를 넘는 수분을 함유하고 있으면 수분에 의해 화물이 액상화할 우려가 있는 화물.

□ 화물틈율이란 무엇인가?

○ 화물틈(broken space, broken stowage)이란 화물을 선창내에 적재할 때,

선측이나 갑판 등에는 어느 정도 빈공간이 있게 되고 화물과 화물사이에도 틈이 생기게 되는데 이들 공간을 화물틈이라 한다.

○ 화물틈율은 다음식과 같다.

$$f = \frac{V_b(\text{베일용적}) - V_c(\text{화물이 차지하는 선창의 용적})}{V_b(\text{베일용적})} \times 100$$

○ 무포장 목재가 비교적 크고, 석탄이 비교적 작다

□ 항만하역 요금에 따라 규격화물, 포장화물, 유태화물, 산화물로 구분되는데 각각 화물의 종류를 설명하시오?

○ 규격화물 : 팔레트화물, 프리슬링(pre-sling), 컨테이너

○ 포장화물 : 상자화물, 베일화물, 번들화물

○ 유태화물 : 고철, 원목, 철강재, 자동차

○ 산화물(산적화물) : 광석류, 석탄류, 양곡류

□ Full and Down의 개념을 설명하시오?

○ 선박이 화물에 의해 만선(full)이 되고 적화비중이 잘맞아 최대의 흘수까지 선박이 가라앉아 있는(down) 상태를 나타내는 말로 이럴 경우 선박은 안전한 상태에서 최대의 수익을 올릴수가 있다. 이상적인 만재상태, 안전만재라 한다. 즉, 만재흘수선(cargo deadweight)에 도달하고 선창도 충만(cubic capacity)한 상태를 말한다.

□ 화물을 적부할 때 고려할 사항은?

○ 선박의 안전, 운항능률증진, 안전한 화물운송

□ 원목 양하 작업시 유의사항?

○ 훈증(24hr) 완료 후 3시간 동안 Gas Free 실시. 훈증완료 후 최초작업시는 방역회사 직원을 참석시켜 가스측정을 한 후 작업원 투입한다.

○ 원목은 대부분 장척 중량물이기 때문에 핸드레일, 스타치온, 갱웨이 등의 본선구조물과 접촉사고 발생에 유의한다.

□ **남양재 원목과 북양재 원목의 특징을 설명하시오?**

○ 남양재는 열대우림지역의 목재로 북양재보다 비중이 더 많아 나간다. 보통 개당 6~7톤이며 나왕이라고도 한다.

○ 북양재는 미국에서 생산 수출하는 침엽수이며 미송이라고도 한다. 개당 0.7~1톤 정도이다.

□ **철광석(Ore) 선적시 주의사항은?**

○ 철광석 선적시 각 선창에 대한 할당은 트림을 고려하여 가능한 각 선창의 용적에 비례하여 배분하는 것이 좋다

○ 편적이 되지 않도록 트리밍을 충분히 하고 작업시에는 선체에 국부응력을 주지 않도록 몇 개의 선창에서 동시에 작업하고 1개의 선창만의 작업은 가능한 피한다.

□ **광석운반선에서 격창으로 화물을 적재하는 방법의 명칭은?**

○ 격창적재(alternative loading, jump loading)

○ 중대형의 광석선의 경우 광석의 비중이 크기 때문에 이들을 전 선창에 골고루 실으면 배의 중심이 낮아져 횡요주기가 짧아지게 되고 심한 횡요를 유발하게 되어 승선감이 좋지 않게 된다. 이를 방지하기 위해 선창을 하나씩 건너가며 화물을 적재하게 되는데 이를 jump loading이라 한다.

○ 점프 로딩은 하역능률을 높일 수 있고 bottom heavy를 경감시킬 수 있는 선적방법이다. 광석은 비중이 높고 적화계수가 작기 때문에 선창에 반만 실어도 만재가 되기 때문에 선창이 넓을 필요가 없다

○ 그러므로 최근에는 선창의 수를 늘리고 선체강도를 강화시킨 얼터너티브 구조(alternative construction)를 갖춘 광석전용선도 출현하고 있는데 이러한 선박들은 선창을 교대로 비워가면서 화물을 적재하는 점프로딩을 가능하게 하기 위해서이다.

□ **셀프트리밍 선박이란?**

○ 자체 트리밍 선박으로 셀프 트리밍 장치가 선창 좌우 방향에 설치되어 있는 톱 사이드탱크 뿐만 아니라 선창 전후방향에도 이와 유사한 경사면을 가진 격벽이 있어 트리밍을 하지 않아도 되는 선박을 말한다.

제6장. 흘수감정과 선박의 복원성

○ 제6장은 감정사, 검량사, 검수사 시험에서 매우 자주 출제되는 분야이며 기본적으로 알고 있어야 하는 분야이다. 특히 감정사, 검량사 면접시험 대비를 위해서는 필수적으로 숙지하고 있어야 한다. 검량사 시험에서 유류검량, 고박방법, 흘수감정만 알고 있어도 합격한다는 말이 있을 정도로 중요한 부분이다.

○ 선박이 물에 잠긴 정도를 알려주는 흘수선을 공부하며 더 이상 화물을 실을 수 없는 만재흘수선의 개념에 대해 알아본다. 실제 면접시험에서 플림솔 마크에 대한 유래, 이유 등에 대해서는 질의하기도 한다. 또한 만재흘수선과 흘수표를 구분하여 알고 있어야 한다.

○ 선박이 넘어지지 않는 원리인 복원성을 알고, 복원성에 영향을 주는 요인들을 중점적으로 살펴보아야 하고 배수량등 곡선도에서 알 수 있는 주요계수 10가지는 암기하고 있어야 한다. 비전공자들에게는 어려운 부분이나 극복 해야 하는 분야이다.

○ 최근 들어 1차, 2차 시험에서 선형계수의 종류에 대해서 질의하는 경향이 있어 주의를 요한다.

※ Key Word : 플림솔마크, 만재흘수선, 흘수 감정, GM, 배수량등 곡선도, TPC, MTC, 복원성, 선형계수, 6자유도

기 출 문 제

□ 상위 10대 선급을 설명하시오? ★[감정사]

○ 미국(ABS), 노르웨이(DNV), 영국(LR), 프랑스(BV), 독일(GL), 한국(KR), 일본(NK), 중국(CCS), 이탈리아(RINA), 러시아(RS)

* 세계 3대 선급협회 : ① ABS(미국) ② LR(영국) ③ DNV(노르웨이, 독일선급)
* 노르웨이선급과 독일선급은 2012년에 합병(DNV GL), 현재는 DNV로 회사명 변경

※ 국제선급연합회(IACS : International Association of Classification Society)

□ 만재흘수선의 정의와 종류와 순서에 대해 설명하시오? ★★[감정사/검량사]

○ Load Line이라고 한다.

○ 허용된 최대적재량을 실은 선박이 물속에 잠기는 깊이를 뜻한다.

○ 선박의 형상과 강도를 기준으로 산정하여 표시되기 때문에 선종에 따라 다르고, 같은 선박이라도 최대만재흘수는 개별적으로 지정되어 있다.

○ 위쪽으로부터 TF(열대담수만재흘수) → F(하기담수만재흘수) → T(열대만재흘수) → S(하기만재흘수) → W(동기만재흘수) → WNA(동기북대서양만재흘수) 순으로 표기한다.

<만재흘수선 표시>
TF : Tropical Fresh water
F : (Summer) Fresh water
T : Tropical sea water
S : Summer sea water(=Main Load Line)
W : Winter sea water
WNA : Winter North Atlantic(위도 36°이상을 지날 때 적용)
※ 온도가 높은 담수의 경우 가장 낮은 밀도를 나타내므로 높은 온도의 담수가 가장 적은 화물을 실을 수 있고 낮은 온도의 해수에서 가장 많은 양의 화물을 실을 수 있다.

□ **건현과 흘수에 대해 설명하시오?** ★[감정사/검량사]

1) 건현(乾舷, freeboard) : 만재흘수선에서부터 갑판선 상단까지의 수직거리 즉, 선체가 물에 닿지 않는 부분의 수직거리를 건현이라고 한다.
2) 흘수(吃水, draft, draught) : 배가 물속에 잠긴 깊이를 말한다. 용골의 상면에서 수면까지의 수직거리를 형흘수, 용골하면에서 수면까지의 수직거리를 용골흘수라고 한다. 일반적인 흘수는 용골흘수를 말한다. 이는 재화중량톤수를 구할 때 사용된다.

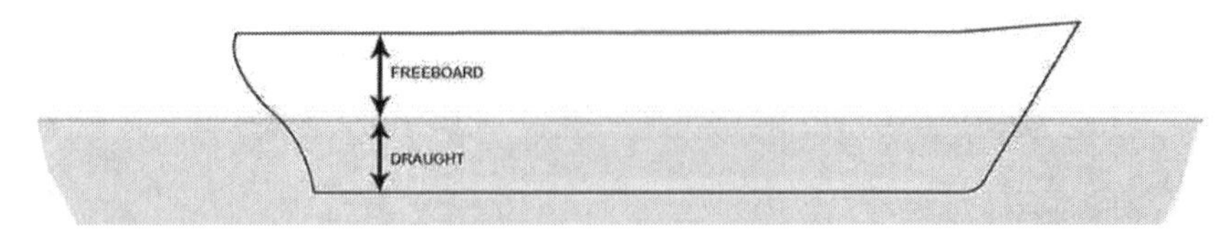

□ **Load Line 이란 무엇인가?** ★★[감정사/검량사]

○ 만재흘수선이라고 한다.
○ 선박이 선적할 수 있는 최대적재량을 넘지 않았다는 것을 나타내기 위해 선박의 중앙부 양현에 표시된 기호. 선박별로 최대만재흘수가 개별적으로 지정되어 있음. Plimsoll Mark라고도 한다.

※ 흘수선(吃水線)의 吃은 '먹을 흘'이라는 뜻으로 물이 먹은 선이다.

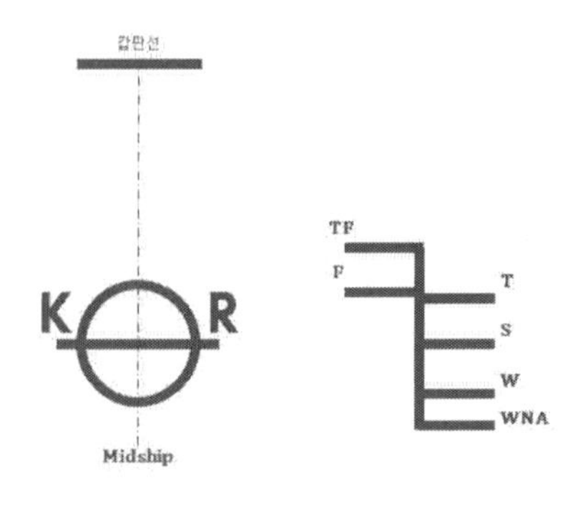

[만재흘수선]

□ **플림솔 마크(Plimsoll Mark)에 대해 설명하고 목적은 무엇인가?** ★[검량사]

○ 상선의 목적은 화물을 적재 · 운송하여 운임수익을 얻는데 있으므로 가급적 적재화물량을 최대화해야 하지만 적재량의 증가는 흘수의 증가, 즉 건현의

감소를 가져오게 된다.

○ 최소한의 건현을 정하는 권한은 선장에게 있으나 그 판단은 경우에 따라 오류가 발생할 수 있고 또한 선주나 용선자의 압력 또는 운송경쟁에 의해 무리하게 과적을 하게 될 우려가 있다.

○ 이러한 과적은 해양사고 발생의 위험을 높이게 되므로 운항의 안전을 확보하기 위하여 최소한의 건현을 규정하자는 논의가 있었고

○ 1872년 영국 하원의원인 Samuel Plimsoll(사무엘 플림솔)이 이에 관한 법률안을 의회에 제한함으로서 법적 규제방안이 마련되기 시작하였다.

○ 만재흘수선 표시는 주창자인 플림솔을 기념하여 '플림솔 마크'라 불리고 있다.

☞ 플림솔 마크는 만재흘수선과 같은 의미이므로 Load Line과 같이 설명하면 된다.

□ **흘수표(Draft Mark)는 무엇이며 표시는 어떻게 하는가?** ★[감정사]

○ 흘수표는 용골의 최저선과 계획만재흘수선과의 수직거리를 등 간격으로 나누어 미터법 또는 피트법에 따라서 표시한다.

○ 보통 선수, 선미 양현에 표시하고 대형선에서는 선체중앙부 양현에도 표시한다. 이들을 선수(fore)흘수, 선미(after)흘수, 중앙(midship)흘수라고 한다.

○ 미터법으로는 높이 10cm의 아라비아 숫자로서 20cm 간격, 피트법은 높이 6인치(15cm)의 아라비아 또는 로마숫자로서 12인치(1피트) 간격으로 각인하며 선수흘수와 선미흘수와의 평균치를 평균흘수라고 하며 중앙흘수는 이 평균흘수와 같다.

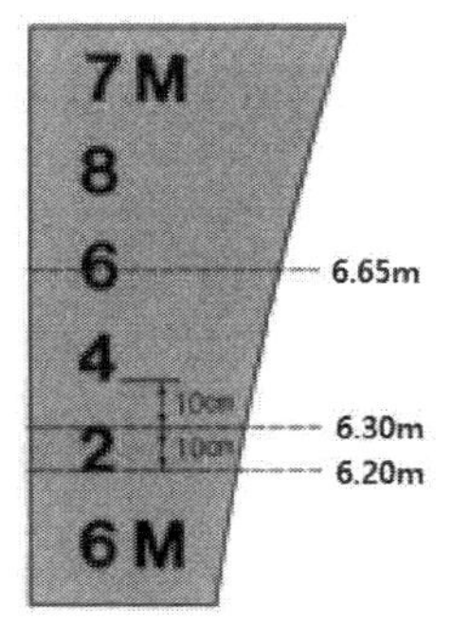

[흘수표의 예]

☞ 23년 감정사 시험에서 「대형선박의 흘수 표시 위치는 어디인가?」라는 질문이 있었다.

□ 흘수 감정(Draft survey)의 순서를 말하시오? ★★[감정사/검량사]

1) 흘수(draft)를 읽는다. → 2) 해수 비중(density)을 측정한다. → 3) 선박의 연료, 청수, 밸러스트 등의 중량을 측정한다. → 4) 적화 및 양화 중량을 산출한다.

□ 흘수 측정방법 및 주의사항에 대해 설명하시오? ★★[감정사/검량사]

○ 풍파나 너울이 있는 곳에서 흘수를 읽는다는 것은 용이하지 않다. 수면의 상하 움직임이 크고 특히 너울이 있는 장소에서는 세심한 주의와 함께 경험적이 관측요령이 필요하다.

1) 수분간 수면의 상하운동의 평균치를 잡는다. 그러나 이 경우 최고·최저의 중간치가 아니라 돌발적인 해면의 동요는 제외하고 최고치와 최저치의 평균치를 읽도록 한다. 파랑에 의한 수면의 상하 폭이 넓으면 순간적으로 오래 머무르는 수면의 숫자를 읽는다. (초보자는 주의 깊게 반복하여 평균치를 택함이 바람직하다.)
2) 조류가 있는 장소에서는 선수의 수위가 높아진다는 것을 고려하여 과대하게 읽지 않도록 한다.
3) 중앙흘수, 특히 안벽에서 흘수를 읽을 경우에는 과대하게 읽기가 쉬우나 수면이 평온한 지역에서는 그러한 경향이 적다.
4) 수면의 동요가 없는 야간에 흘수를 읽을 경우 조그만 돌을 던져 파문을 일으켜서 읽으면 좋다.
5) 흘수감정 중에는 본선 배수량에 영향을 미치는 Ballasting, Deballasting 등의 작업은 금한다.
6) 트림 변화가 많은 상태보다는 등흘수(Even keel)에 가까운 상태에서 정확한 선적량을 계산할 수 있다.
7) 트림이 많은 상태에서 각 탱크 높이 측정(Tank sounding)을 실시할 경우에는 정확하게 측정을 실시하고, 상응하는 보정을 해 준다.

□ 흘수 감정(Draft Survey)에 의한 배수량 정측(精測)방법에 대해 설명하시오? ★★★[감정사/검량사]

○ 배수량 정밀측정 방법에는 1) 선수미 보정(Stem & Stern Correction), 2) Hog, Sag 보정(Bending Correction), 3) 트림 보정(Trim Correction), 4)

비중 개정(Density Correction) 등이 있다.

1) 선수미 보정(Stem & Stern Correction) : 선수미(船首尾)의 경사에 대한 흘수의 보정(수정)을 말한다. 계산에 이용되는 선박의 길이는 수선간장(LBP)이다. 선수미의 흘수표시가 바르게 수직선상에 표시되어 있으면 문제가 되지 않지만 보통 선수재는 파도를 헤치도록 경사되어 있고 그 위에 흘수표시(draft mark)가 기입되어 있기 때문에 트림(trim)이 있을 경우는 선수 수선상의 흘수를 나타내지 못한다. 선미도 마찬가지이다. 이 때문에 흘수표시에서 읽은 흘수값을 선수미 수선(垂線)상의 흘수값으로 수정하여야 한다.

   df′(수정한 후의 선수의 흘수값)=df(선수 흘수표시상의 흘수)+c(수정치)

   * 수선간장(LBP)에 대한 설명은 '제4장 선박의 종류와 구조'편 참조

☞ 23년 감정사 시험에서 「선수미 흘수차의 보정방법에 대해 설명하시오?」라는 질문이 있었다.

2) Hog, Sag 보정(Bending Correction) : 선체변형 보정(Hull Deformation Correction)이라고도 한다. Hog, Sag에 대한 배수량의 수정이란 선박에는 선수, 선미의 우현과 좌현에 중앙부 우현과 좌현에 흘수표시를 가지고 있으며 만약 선체에 변형이 발생하지 않는다면 쿼터평균(Q/M)의 계산을 위해 선수미 흘수만으로 계산해도 되지만 선박의 대부분은 호깅과 새깅이 존제하여 선체의 변형이 발생하고 이에 대한 흘수 보정이 필요하게 된다.

   * 호깅(hogging)은 선박에 화물이 선수와 선미쪽 주위에 많이 선적되어 중앙부에 부력과 선수미의 중력이 불일치되어 위로 볼록한 형태의 굽힘 변형이 생기는 것이고, 새깅(sagging)은 호깅과 반대로 선체중앙부에 화물이 많이 선적되어 아래로 볼록한 형태로 변형이 생기는 것을 말함

3) 트림보정(Trim Correction) : 선체가 계획 트림 이외의 흘수로 떠 있을 때의 배수량은 부면심의 이동으로 인하여 단순한 전후 흘수의 평균치를 구하는 문제가 아니라 트림의 변화로 인한 배수량의 수정이 필요하다. 트림이 근소한 경우의 배수량의 수정을 제1수정이라 하고, 트림이 큰 경우의 배수량을 제2수정이라 한다.

4) 비중개정(Density Correction) : 배수량등 곡선도 및 적화척도(Deadweight Scale)에 의한 배수량은 해수의 표준밀도(1.025)에 대한 배수량이므로 1) 선수미 보정(Stem & Stern Correction), 2) Hog, Sag 보정(Bending

Correction), 3) 트림보정(Trim Correction)등의 수정을 한 후 배수량을 현재 떠 있는 물의 비중에 대하여 수정하는 것을 말한다.

☞ 23년 감정사 시험에서 「흘수 감정시 해수비중 환산이 필요한 이유가 무엇인가?」라는 질문이 있었다.

☞ 23년 감정사 시험에서 「흘수를 개정하는 방법?」 「보정된 흘수로 배수량을 알 수 있는 방법?」에 대한 질문이 있었다.

□ 호깅과 새깅을 설명하고 호깅과 새깅시 흘수선의 변화에 대해 설명하시오?

★★[감정사/검량사]

○ 선체의 변형에는 호깅(Hogging)과 새깅(Sagging)이 존재한다. 호깅은 선박에 화물이 선수와 선미쪽 주위에 많이 선적되어 중앙부에 부력과 선수미의 중력이 불일치되어 위로 볼록한 형태의 선체에 굽힘변형이 생기게 되는 것이고, 새깅은 호깅과 반대로 선체 중앙부에 화물이 많이 선적되어 선체가 아래로 볼록한 형태로 변형이 생기는 것을 말한다.

* Hog는 돼지라는 의미이다. 돼지등을 연상하면 호깅현상을 쉽게 이해할 수 있다.

○ 선박에는 선수, 선미의 우현과 좌현에 중앙부 우현과 좌현에 흘수표시를 가지고 있으며 만약 선체에 변형이 발생하지 않는다면 쿼터평균(Q/M)의 계산을 위해 선수미 흘수만으로 계산해도 되지만 선박의 대부분은 호깅과 새깅이 존제하여 선체의 변형이 발생하고 이에 대한 흘수 보정이 필요하게 된다. 이를 Hog, Sag 보정(Bending Correction) 또는 선체변형 보정(Hull Deformation Correction)이라고 한다.

○ Q/M을 계산하면 선박의 상태를 알수 있는데 호깅, 새깅시 dm(선수미의 평균흘수), $d\theta$(중앙부에서의 평균흘수)의 관계는

호깅(Hogging)은 dm 〉 $d\theta$ 이고 새깅(Sagging)은 dm 〈 $d\theta$ 이다.

$$\text{선수미의 평균흘수 } dm = \frac{df(\text{선수 평균흘수}) + da(\text{선미 평균흘수})}{2}$$

$$\text{중앙부에서의 평균흘수 } d\theta = \frac{\text{중앙부우현} + \text{중앙부좌현}}{2}$$

□ **흘수감정의 순서를 말하고 해수 비중개정(보정, 수정)이란 무엇인가?**

★[감정사]

○ 흘수감정의 순서 ① 흘수읽기 (Draft Reading) → ② 해수비중 측정 → ③ 선박의 연료, 청수, 밸러스트의 중량 측정 → ④ 적화 또는 양화 중량 계산

○ 해수비중개정(Density Correction)이란 배수량등 곡선도와 적화척도에 의한 배수량은 해수표준밀도(1.025)에 대한 배수량이므로 현재 떠 있는 물의 비중에 대하여 수정하는 것을 말한다.

□ **표준해수비중은? 선박에서 해수비중 측정방법은?** ★[감정사]

○ 선박의 배수량 스케일(displacement scale)은 일반적으로 표준해수비중 1.025를 기준으로 만들어지며, 주로 강을 운항하는 선박은 표준담수비중 1.000을 기준으로 만들어진다.

○ 선박에서 해수비중의 측정은 선박의 중앙, 선수, 선미의 각 양 현 6개소에서 상, 중, 하층으로 측정하여 평균치로 사용한다.

○ 평균해수비중을 구하기 위해 흘수의 중간부분에서 해수를 상층(a), 중층(b), 하층(c)를 채취하고 흘수의 중간부(b)에서 해수를 2번 채취하여 비중을 구한다.

$$\text{평균해수비중} = \frac{a+2b+c}{4}$$

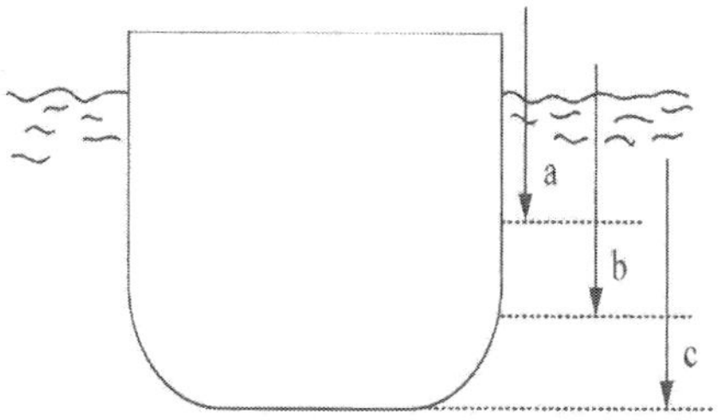

a
b
c

□ **해수비중의 관측방법?** ★[감정사]

○ 해수온도와 채수기의 온도차를 없애기 위해서 2~3회 물을 떠 올린 후 맨 마지막에 떠 올린 것으로 측정한다.

○ 시차(視差)를 없애기 위해 채수기에 물을 가득 채워 비중계를 넣으면 물이 넘치도록 한다.

○ 비중계에 수포(水泡)나 손자국 등이 생기지 않도록 한다

○ 해수비중의 측정은 물의 표면장력에 의하여 약간 올라간 부분의 눈금을 읽어서 소수점 이하 4자리에서 반올림한다.

□ 담수에서 해수로 갈 때 침하량은? ★[감정사]

○ 일정한 배수량을 갖는 선박이 강에서 바다로, 또는 바다에서 강으로 진입할 때에는 물의 밀도가 달라짐에 따라 수면 하의 체적이 변하게 되고 이것은 흘수의 변화로 나타난다.

○ 즉, 표준 해수비중은 1.025이고, 표준 담수비중은 1.000이다.

○ 비중이 1.025, 1.000은 물 1㎥에 해당하는 부피의 무게가 각각 1.025MT, 1.000MT이므로, 비중이 큰 해수에서 운항하는 경우 비중이 작은 담수에서 운항하는 것보다 선박의 흘수는 작아진다.

□ 해수 비중에 따른 흘수변화는 어떻게 되는가? ★[감정사]

○ 해수 비중이 커질수록 흘수는 작아진다. 따라서 해수(1.025)에서 담수(1.000)로 갈수록 흘수는 커진다.

□ TPC, MTC에 대해 설명하시오? ★★★[감정사/검량사]

○ TPC, Tons per 1cm immersion, 센티미터당 배수톤수(Tcm) : 표준 해수에 떠 있는 선체가 경사됨이 없이 평행하게 1cm 물속에 잠기게 하는데 필요한 무게(중량)를 매cm배수톤(Tcm)이라 한다. 기호는 TPC이며 단위는 ton/cm 이다. 이 값은 수선면적에 비례하고 흘수에 따라 변하게 된다.

○ MTC, Moment To Change trim 1cm, 센티미터당 트림모멘트(Mcm) : 주어진 선수, 선미 흘수상태의 선박에서 화물을 이동하면 경사모멘트가 발생하여, 선수, 선미의 흘수가 변화가 된다. 이를 트림변화라고 한다. 이 트림변화를 1cm 발생시키기 위한 경사 모멘트를 말한다. 기호는 MTC이며 단위는 ton·m이다.

○ TPC와 MTC 값은 '배수량등 곡선도' 또는 '적화척도'에서 값을 확인할 수 있다.

□ **GM에 대해서 설명하시오?** ★★[감정사/검량사]

○ 선박의 전 중량이 한점에 있다고 생각할 수 있는 점을 중심(重心, Center of Gravity)이라 하고 부력이 한점에서 작용한다고 생각할 수 있는 점이 부심(浮心, Center of Buoyancy)이라 한다.

○ GM은 선박의 무게중심 G에서 메터센터 M까지의 높이로서 이 GM의 크기로 선박의 안정성 즉 복원력을 판단할 수 있다. 선박이 바로 선 위치에서 외력의 작용으로 소각도 경사하였을 경우 이때에 이동한 부심(浮心) B'에서 세운 수선과 선박의 중심선이 만나는 점을 경심(傾心, Metacenter, M)이라 하며 이 경심은 경사각이 10°미만의 소각도에서는 거의 움직이지 않는다.

1) 안정상태 : M(경심)이 G보다 위에 있을 경우에는 선박을 소각도 경사시키면 원위치로 돌아오려는 힘이 작용한다. 이때를 선박이 안정상태에 있다고 한다.(GM 〉 0)

2) 중립평형상태 : G와 M(경심)이 일치한 경우를 중립평형상태에 있다고 한다.(GM = 0)

3) 불안정상태 : G가 M(경심)보다 위에 있는 경우는 선박이 소각도 경사하면 더욱 경사하려는 우력(偶力)이 작용한다. 이러한 상태를 직립위치에서 불안정상태에 있다고 함(GM 〈 0)

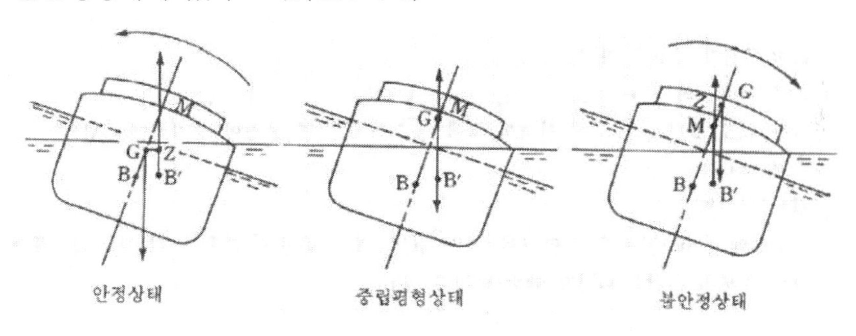

□ **선박의 복원성(stability)에 대해 설명하시오?** ★★★[감정사/검량사]

○ 선박이 어떤 위치로부터 경사하려고 할 때의 저항, 또는 경사한 위치에서 그 원인을 제거하였을 때 원위치로 돌아오려고 하는 능력이다.

○ 복원력은 선박의 안전성을 판단하는데 중요한 기준이 되며 아무리 구조가 튼튼하게 설비되어 있는 선박이라도 그 복원력이 부족하면 선박으로서의 의미를 상실하게 된다.

○ 복원력이 과도하면 횡요가 심해져서 선체나 기관 등이 손상을 입을 우려가 있고 화물이 이동할 위험이 있으며 승조원에게 불쾌감을 주어 작업을 곤란하게 한다.

○ 반대로 복원력이 너무 작으면 외력에 의하여 선박이 경사되기 쉽고 또 빨리 일어서지 않으므로 풍랑이 심할 때에는 전복의 위험이 크며 일반적으로 화물선에서는 선박의 총중량인 경하배수톤수의 약 3.0배를 화물로서 선적하게 된다.

□ 선박의 횡요주기와 GM에 대해 설명하고 상호간의 관계에 대해서 설명하시오? ★★[감정사/검량사]

○ 횡요주기란 선박이 한쪽 현으로 최대로 경사된 상태에서부터 반대현으로 기울었다가 다시 원위치로 되돌아오기까지 걸린 시간을 말한다.

○ GM이란 선박의 무게중심 G에서 메터센터 M까지의 높이로서 이 GM의 크기로 선박의 안정성 즉 복원력을 판단할 수 있다.

○ GM이 클수록 횡요주기가 짧아진다. GM이 클수록 선박의 무게중심이 부력중심보다 높아지게 되며 이는 선박이 기울어졌을 때 복원력이 증가한다는 의미이다. 복원력이 증가하면 선박이 원래의 위치로 돌아오는 데 걸리는 시간이 짧아지므로 횡요주기가 짧아진다. 복원력이 과도해지면 횡요가 심해져서 선체나 기관 등이 손상을 입을 우려가 있고 화물이 이동할 위험이 있으며 승조원에게 불쾌감을 주어 작업을 곤란하게 한다.

○ 반대로 GM이 작을수록 횡요주기가 길어진다. 이는 선박이 기울어졌을 때 복원력이 너무 작으면 외력에 의하여 선박이 경사되기 쉽고 또 빨리 일어서지 않으므로 풍랑이 심할 때에는 전복의 위험이 크다.

□ 선박의 복원성을 증가 또는 감소시키는 요인 3가지 이상 설명하시오? ★★★[감정사/검량사]

○ 선박의 복원성은 그 탑재물의 중량배치 뿐만 아니라 본선 고유의 형상과 구조에 따라서 달라지며, 일반적으로 선박에 가해지는 외력이나 본선 상태의 변화가 복원성에 영향을 준다.

○ 선박 복원성을 증가, 감소시키는 3요소는 선박제원, 바람의 영향, 유동수의 영향이다.

1) 선박제원(선폭, 건현, 무게중심, 배수량, 현호)의 영향

① 선폭 ; 선폭이 증가함에 따라 복원력이 커진다. 반면 복원각과 복원성 범위는 작아진다.

② 건현 : 적당한 폭과 GM을 가지고 있는 선박이라도 충분한 건현을 가지고 있어야 복원성을 증가 시킬 수 있다.

③ 무게중심 : 복원성을 높이기 위해서는 무게중심의 위치를 낮추는 것이 좋은 방법이다.

④ 배수량 : 복원력의 크기는 배수량에 따라서 변화한다.

⑤ 현호(Sheer) : 능파성을 증가시킬 뿐만 아니라 갑판끝단이 물에 잠기는 것을 방지한다.

⑥ Tumble Home과 Flare : 상갑판 부근의 선측상부가 안쪽으로 굽은 정도. 텀블 홈이 큰 선박은 복원성이 나쁘고 이에 반해서 플레어가 있는 선박은 선폭을 넓힌 효과이므로 복원성이 좋게 된다.

2) 바람의 영향 : 선박이 횡방향으로 정상풍을 받을 경우 수선위의 부분에는 풍압이 작용하고 수선하의 부분은 물의 반력이 작용해서 우력이 형성된다. 황천시에는 강풍, 돌풍, 파도의 영향에 의한 경사모멘트를 받게 되고 갑판에 쳐 오르는 파도 때문에 복원력이 감소되어 선박이 전복될 위험이 있다.

* 정상풍(定常風) : 일정한 시간동안 속도와 방향이 일정한 바람

* 우력(偶力) : 크기가 같고 서로 평행으로 작용하지만 방향이 반대인 두 힘

3) 유동수(遊動水)의 영향

① 청수, 해수, 기름등의 액체가 탱크내에 충만되지 아니하여 자유표면(free surface)이 있을 경우, 선박이 동요하면 탱크내의 액체로 유동하게 되고, 탱크의 벽 및 Tank Top Plate를 충격하여 누설과 파손의 원인이 되며 선박전체의 중심을 상승 시킨것과 같은 복원력의 감소효과가 생겨 선박의 안전에 큰 영향을 미친다.

② 황천시 갑판상에 파랑이 올라와 머물게 되면 자유표면 효과가 생기므로 선박의 복원성을 나쁘게 할 뿐 아니라 선체의 상부에 중량물을 적재하는 것과 같아져 복원성에 현저한 영향을 주게 된다.

☞ (복원성)에 사는 사람과 (선)(바)(유)로 외우기 바랍니다.

☞ 22년 감정사 시험에서는 "복원력에 영향을 주는 요소?" 또는 "복원성에 영향을 주는 내적, 외적요소를 설명하시오?" 등으로 질문하였다. 여기에서 내

적요인은 '선박제원'과 '유동수의 영향'이고 외적요소는 '바람의 영향'으로 구분하여 설명할 수 있다.

□ **유동수의 영향을 설명하시오?** ★★[감정사]

○ 청수, 해수, 기름 등의 액체가 탱크내에 충만되지 아니하여 자유표면(free surface)이 있을 경우, 선박이 동요하면서 탱크내의 액체로 유동하게 되고, 탱크의 벽 및 Tank Top Plate를 충격하여 누설과 파손의 원인이 되며 선박전체의 중심을 상승시킨 것과 같은 복원력의 감소효과가 생겨 선박의 안전에 큰 영향을 미친다.

○ 황천시 갑판상에 파랑이 올라와 머물게 되면 자유표면 효과가 생기므로 선박의 복원성을 나쁘게 할 뿐 아니라 선체의 상부에 중량물을 적재하는 것과 같아져 복원성에 현저한 영향을 주게 된다.

□ **유동수를 방지하기 위한 방법은?** ★[감정사]

○ 탱크내 화물을 되도록이면 만재시키거나, 완전히 비우도록 노력하며, 충분한 건현을 확보해야 한다.

□ **유동수의 영향을 줄이려면 어떻게 해야 하는가?** ★[감정사]

○ 청수, 해수, 기름 등의 액체가 탱크내에 충만되지 아니하여 자유표면(free surface)이 있을 경우, 선박이 동요하면서 탱크내의 액체로 유동하게 되고, 탱크의 벽 및 Tank Top Plate를 충격하여 누설과 파손의 원인이 되며 선박전체의 중심을 상승 시킨 것과 같은 복원력의 감소효과가 생겨 선박의 안전에 큰 영향을 미친다.

○ 유동수의 영향을 줄이기 위해서는 탱크내 화물을 되도록이면 만재시키거나, 완전히 비우도록 노력하며, 충분한 건현을 확보해야 한다.

□ **배수량등 곡선도에서 확인할 수 있는 것은?** ★★★[감정사/검량사]

○ 배수량등 곡선도(Hydrostatic Curves)는 선주로부터 주어진 조건들을 만족시키면서 선급 협회 규칙 등의 여러 가지 규정에도 적합한 선박을 설계하기 위해서는 선체 구조의 기하학적 형상뿐만 아니라, 선박의 성능을 나타내기 위한 여러 가지 계수의 계산이 필요하며 이러한 계수들은 어떠한 흘수 상태

에서도 구할 수 있도록 도표로 표시한 것을 배수량등 곡선도라고 하며, 이러한 계수들은 유체 정역학적 제 계수라고 한다.

○ 배수량등 곡선도에 알 수 있는 주요계수는 ① **배수용적**(V), ② **배수량**(W) : 배수용적에 비중을 곱해준다. ③ **수선면적**(Waterplane Area), ④ **침수표면적**(Wetted Surface Area), ⑤ **부면심**(Center of Flotation)과 LCF(선체중심에서 부면심까지의 거리), ⑥ **부심**(Center of Buoyancy), LCB(선체중심에서 부심까지의 거리), KB(기선에서 부심까지의 거리), ⑦ **cm당 배수톤수**(TPC), ⑧ **cm당 트림모멘트**(MTC), ⑨ **메타센터 높이**(KM), ⑩ **선형계수**(Coefficient of Fineness)

※ 배수량등 곡선도에서는 무게중심(G)값을 직접적으로 찾을 수 없다.

□ IMO에서 요하는 최소 GM은 얼마인가? ★[감정사]

○ 국제해사기구(IMO)에서는 50cm 이상의 GM을 유지할 것으로 권고하고 있다.

○ 선박은 적당한 크기의 복원력을 가지고 있어야 하며 GM값이 어느 정도일 때 가장 적당한가는 주로 선박의 형상, 크기, 흘수에 따라서 다르고 통계적으로 선폭 기준 여객선 2%, 화물선 5%, 유조선 8% 정도가 만재시의 이상적 GM값을 나타낸다.

○ 원양화물선에서는 일반적으로 평온한 해상에서의 GM값은 60~80cm 정도, 대양에서는 90~100cm 정도가 적당하다는 이론도 있으나 황천등에 대비하여 각 선박의 적화상태에 따라서 알맞은 GM값이 얼마 정도인가를 확인하여 두어야 한다.

□ 선형계수의 정의와 종류를 설명하시오? ★★[감정사/검량사]

○ 선형계수는 선박이 수면에 떠있을 때 물에 잠긴 부분의 모양을 특징짓는 계수를 말하며 5종류가 있음.

1) 방형계수(C_b ; Block Coefficient) : 물속에 잠긴 선박형상이 날씬하고 뚱뚱한 정도를 나타낸다. 속력이 빠른 선박일수록 방형계수가 작고, 속력이 느리며 뚱뚱한 모양일수록 방형계수값이 커진다(화물선 0.5~0.7, VLCC 0.85)

2) 중앙횡단면계수(C_m ; Midship Section Coefficient) : C_m이 크다는 것은 중앙횡단면 모양이 직사각형에 가까우며 선저기울기가 거의 없다는 것

이고 값이 작다는 것은 선저기울기가 크다는 것이다.

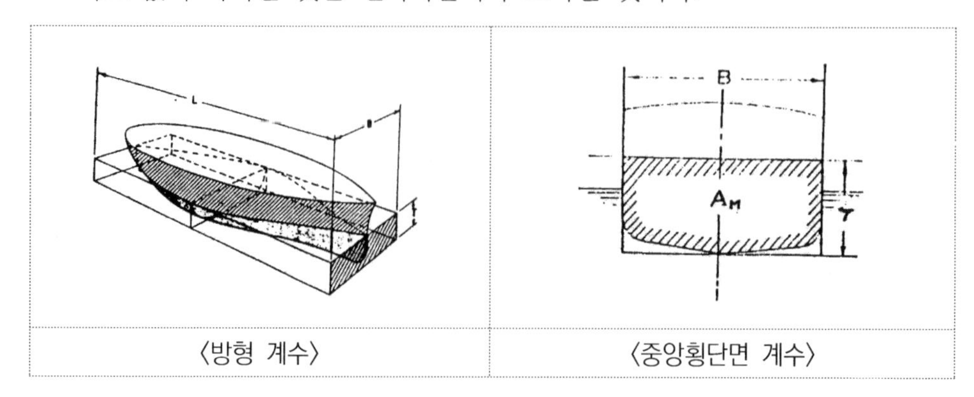

〈방형 계수〉 〈중앙횡단면 계수〉

3) 주형계수(Cp : Prismatic Coefficient) : 중앙횡단면의 형상과 면적을 선수미 방향으로 그대로 연장하여 만들 수 있는 기둥형상체의 용적에 대한 선박 배수용적의 비를 의미하며 배수용적이 동일한 선박일지라도 주형 계수 값이 큰 선박은 중앙횡단면의 형상과 면적에 큰 차이가 없는 단면이 선박의 길이 방향으로 골고루 분포되어 뚱뚱한 선박이고, 반대로 주형 계수 값이 작은 선박은 중앙 횡단 면적이 선수미부로 가면서 급격히 감소하여 뾰족한 모양으로 되는 것을 뜻한다.

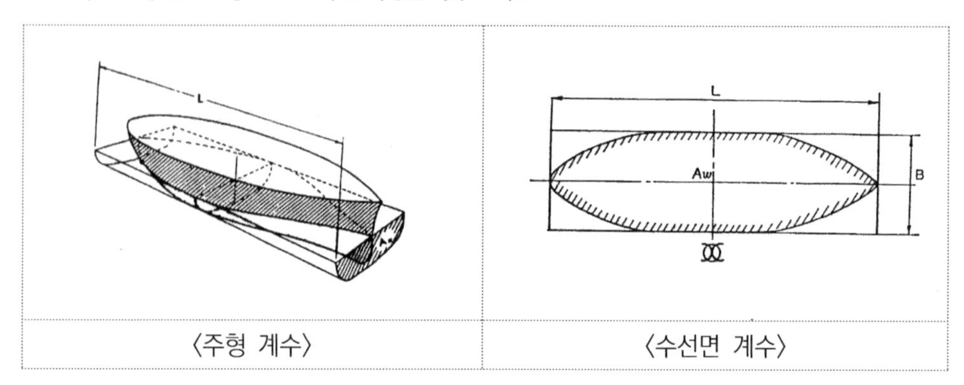

〈주형 계수〉 〈수선면 계수〉

4) 수선면계수(Cw ; Water Plane Coefficient) : 선박의 길이방향으로 물과 접하는 선인 선박의 수선을 절단하여 구한 것으로 수선 면적과, 길이, 폭의 치수로 둘러싸인 직사각형면적과의 비를 말한다. 수선면 계수는 수선면의 날씬한 정도를 나타내며, 수선면 계수가 크다는 것은 수선면의 형상이 직사각형에 가까운 형상임을 의미하고, 반대로 수선면 계수 값이 작다는 것은 선수미가 뾰족한 형상이라고 할 수 있다.

5) 수직주형계수(Cvp ; Vertical Prismatic Coefficient) : 방형계수, 주형계

수, 수선면계수 등이 선박의 길이 방향으로 형상의 변화를 나타낸 계수라면 수직 주형 계수는 선박의 상하 방향의 수선면적의 분포를 보여 주는 계수이다. 수직 주형계수의 값이 작다는 것은 상부에 더 많은 배수용적이 집중되어 선체의 횡단면이 V형이 되는 것이고, 1에 가까워질수록 선형이 U형에 가깝다는 것이다.

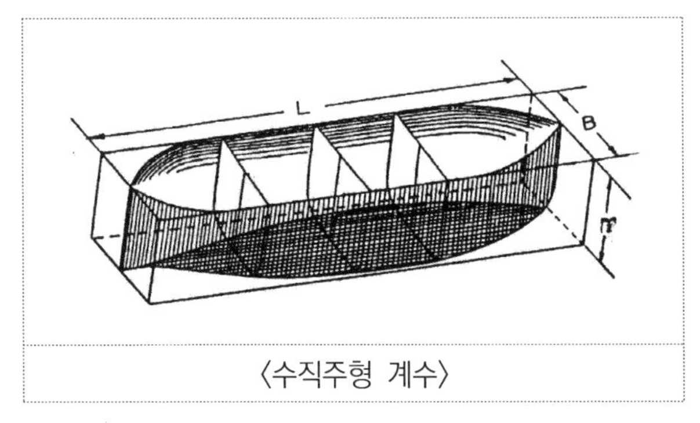

〈수직주형 계수〉

☞ 「방형계수가 무엇인가?」 등과 같이 개별적으로 질문하거나 선형계수의 종류에 대해 말해보시오 라고 물어 볼 수 있다. 최근시험에 출제빈도가 늘어가는 경향이다.

□ **선체의 6자유도(Degree of freedom)에 대해 설명하시오?** ★[감정사]

○ 바다수면을 항해하는 선박이 해상파에 의해 받게 되는 진동운동으로 3개의 직선운동과 3개의 회전운동으로 구성되어 있다.

1) 직선운동

① Surging : 선수미(전후) 방향으로 움직이는 직선운동

② Swaying : 좌우 움직임

③ Heaving : 상하 움직임

2) 회전운동

① Rolling(횡동요) : 선박의 길이방향 중심선(종축) 주위의 회전운동이며 일반적으로 가장 강하게 느껴지는 것으로 그 영향도가 가장 크다. 좌우 흔들림

② Pitching(종동요) : 전후 흔들림. 슬래밍(Slamming)과 갑판침수와 같은 구조적 측면과 관련이 있음

③ Yawing(선수동요) : 선박의 침로 안전성과 바지선을 끌고 가는 예인선의 요구 마력과도 관련이 있음

※ x축(surge, rolling), y축(sway, pitching), z축(heave, yawing)

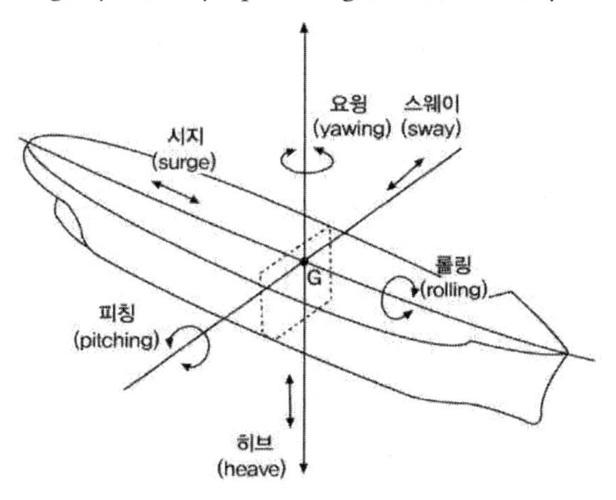

* G : 동체깊이의 중앙위치에 있으나 이 점은 무게중심과 일치하지는 않는다.

예 상 문 제

□ 국제만재흘수선 규정에 따른 전 세계 해양의 4대 해역을 말하시오?

① 계절동기대역(seasonal winter zone) ② 하기대역(summer zone)

③ 계절열대대역(seasonal tropical zone) ④ 열대대역(tropical zone)

□ 만재흘수선 적용에서 해역의 구분기준은?

○ 동기 : 풍력계급 8(34노트)이상의 바람이 부는 비율이 10% 이상인 해역

○ 하기 : 풍력계급 8(34노트)이상의 바람이 부는 비율이 10% 미만인 해역

○ 열대 : 풍력계급 8(34노트)이상의 바람이 부는 비율이 1% 이하인 해역

□ 만재흘수선 표시의무 선박은?

1) 국제항해에 취항하는 선박

2) 선박길이가 12미터 이상인 선박

3) 선박길이가 12미터 미만인 선박으로서 ① 여객선, ② 위험물을 산적하여 운송하는 선박

※ 근거 : 「선박안전법」 제27조(만재흘수선의 표시 등)

□ 만재흘수선 표시를 생략할 수 있는 선박 3가지 이상을 말하시오?

1) 수중익선, 공기부양선, 수면비행선박 및 부유식 해상구조물

2) 운송업에 종사하지 아니하는 유람 범선(帆船)

3) 국제항해에 종사하지 아니하는 선박으로서 선박길이가 24미터 미만인 예인·해양사고구조·준설 또는 측량에 사용되는 선박

4) 임시항해검사증서를 발급받은 선박

5) 시운전을 위하여 항해하는 선박

6) 만재흘수선을 표시하는 것이 구조상 곤란하거나 적당하지 아니한 선박으로서 해양수산부장관이 인정하는 선박

※ 근거 : 「선박안전법」 제27조(만재흘수선의 표시 등) 및 「선박안전법시행규칙」 제69조(만재흘수선의 표시 등)

□ **복원성 유지 선박은?**

1) 여객선
2) 선박길이가 12미터 이상인 선박

※ 근거 : 「선박안전법」 제28조(복원성의 유지)

□ **구획만재흘수선(Subdivision Load Line)이란?**

○ 국제항해에 종사하는 여객선이, 선박의 구획규정에 의해 만재흘수선에 추가하여 C기호로 표시하는 만재흘수선.

○ 이것은 여객선의 격벽(bulkhead)의 위치를 정할 때, 선박의 한 구획이 침수되어도 수선이 일정한 한계를 넘지 않도록 흘수를 제한하는 수선이다.

○ 여객선을 설계할 때에는 미리 구획만재흘수선의 위치를 결정하여 두고, 이것을 기초로 하여 각 구획 사이의 길이를 산출한다. 화물 탑재용을 겸하는 여객실을 가지고 있는 여객선은 2개 이상의 구획만재흘수선을 설정할 수 있다.

□ **항해경과에 따른 복원력의 감소요인에 대해 설명하시오?**

○ 항해가 진행되는 동안 선박 무게중심의 변동으로 인한 GM의 감소가 복원력의 감소원인으로 작용한다.

1) 연료유, 청수등의 소비 : 선박이 항해를 하면 연료유, 청수 등의 소비로 인해 배수량의 감소와 GM의 감소를 가져온다.
2) 유동수의 발생 : 탱크의 빈공간에 선체의 횡동요에 따라 유동수가 생겨 무게중심의 위치가 상승하여 GM이 감소한다.
3) 갑판적 화물의 해수흡수 : 갑판위로 올라온 해수에 의해서 물을 흡수하게 되면 중량이 증가하여 GM이 감소한다.
4) 겨울철에 북쪽지방을 항행하게 되면 갑판에 해수가 얼어붙어서 갑판중량의 증가로 GM이 감소한다.

□ **초기복원력을 구하는 방법은?**

○ 초기복원력 = 배수량×GM×sinθ = 배수량×복원정

□ 적화척도란 무엇인가?

○ Deadweight Scale

○ 적화에 의한 평균흘수의 변화량과 현재의 흘수상태에서 예정흘수까지 적화할수 있는 적화량을 구할 수 있는 방법을 말함.

○ 적화에 의한 평균흘수의 변화량과 현재의 흘수상태에서 예정흘수(혹은 만재흘수)까지 적재할 수 있는 적화량을 구하는 데는, 실무에서 Deadweight Scale을 많이 사용한다. 이것을 이용하여 예정흘수 및 적재량을 구하는 방법에는 2가지 방법이 있다.

1) 현재의 평균흘수에 대한 중량톤수를 Deadweight Scale상에서 구하고, 이 값에 적하할 중량을 더하면 배수량이 된다. 이 배수량에 해당하는 흘수를 다시 Scale상에서 읽으면, 적하후의 평균흘수가 된다. 또 Scale상에서 읽은 현재의 평균흘수에 대한 배수량과 예정평균흘수(혹은 만재흘수)에 대한 배수량의 차이는 적재할 화물량(적화량)이 된다.

2) 현재의 평균흘수에 대한 Tcm를 Scale상에서 구하고, 이것으로써 적하할 중량을 나누면, 평행침하(양하할 때는 평행부상)하는 흘수의 변화량(㎝)이 되며 또 현재의 평균흘수와 예정하는 평균흘수(혹은 만재흘수)와의 차이(cm)에 Tcm를 곱하면, 적재할 화물량(적화량)의 톤수가 구해진다. 그러나 대량의 화물을 적양하할 경우에는, 흘수가 현저히 변화하기 때문에 적하전후의 흘수에 대한 Tcm의 평균값을 사용하여야 한다.

□ Bon Jean Curve(본진 곡선)이란 무엇인가?

○ 선박의 길이를 등분한 스테이션에 있어서 횡단면의 면적곡선을 선체측면도의 각 위치에 기입한 것으로 Bon Jean(본진)에 의해 고안되었다.

○ 본진 곡선으로 트림이 있을 때 주어진 수선에 대해 선박의 전체에 걸쳐 각 스테이션의 횡단면의 침수부의 면적을 직접 구하는 것이 가능해 큰 트림이 있을 때나 진수시 파의 위쪽에 떠 있을 때의 배수량이 용이하게 얻어진다.

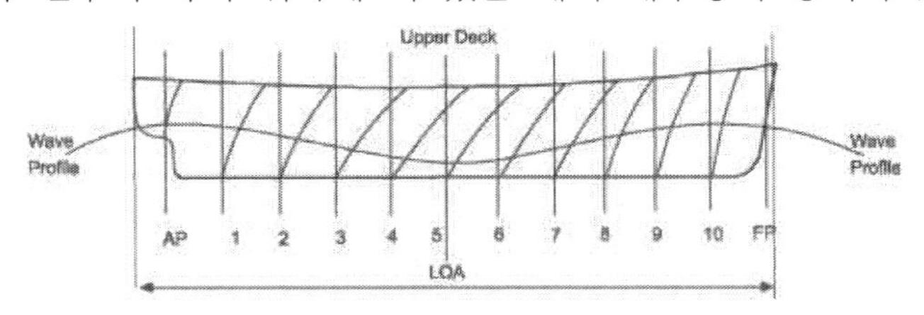

□ **불명중량이란 무엇인가?**

○ Unknown constant weight라 부른다.

○ 연료, 청수, 밸러스트, 선용품, 하역용품 등 정확한 중량을 측정할 수 있는 것을 제외한 추정중량을 말한다.

○ 선박의 선령이 증가할수록 증가하는 것이 보통이며 불명중량은 1) 계측이 안된 탱크의 잔수, 2) 선저하부에 부착된 이물질, 3) 신조후 수리등의 사유로 설비가 변경되거나 철재 등이 부가된 경우 4) 기타 측정이 불가능한 등이다. 선령이 증가될수록 늘어나는 것이 통상적이다.

제7장. 컨테이너 운송

○ 제7장은 감정사, 검량사, 검수사 시험에서 자주 출제되는 분야이다. 출제 빈도가 점점 증가되고 있다.

○ 제6장에서는 선박이 가라앉지 않도록 화물을 안전하게 실을 수 있는 방법을 알아보았고 제7장에서는 화물의 선적과 양륙 속도를 획기적으로 빠르게 개선한 컨테이너 운송에 대해 알아본다.

○ 컨테이너의 종류, 규격, 재질 구분 등에 대해서는 기본적으로 알고 있어야 하며 컨테이너에 부착되는 각종 표찰, 표식의 종류들과 컨테이너선에 적재방법 및 고박방법에 대해서 숙지하여야 한다.

※ Key Word : TEU, 컨테이너 번호, 베이플랜, 컨테이너 시큐어링, RO/RO, LO/LO

기 출 문 제

□ **컨테이너 종류에 대해 설명하시오?** ★★★[감정사/검량사/검수사]

1) 드라이(Dry) Container : 일반잡화를 수송하는 가장 보편적인 컨테이너로 컨테이너의 대부분을 차지하고 있다. 전후 방향의 한쪽 끝에 2개의 Door가 있고 각각의 Door는 약 270도 개폐가 가능하다. 대상화물이 Dry Cargo이므로 Door의 주위에는 Neoprene(합성고무의 일종) 등으로 포장되어 있어 내장화물을 비, 바람으로부터 보호할 수 있다.
2) 냉동(Reefer) Container : 대형 컨테이너의 경우에는 보통 냉동기를 사용하여 적화에 대한 소정의 온도를 보존하는 냉각장치의 설비 방식에 따라 별치식(別置式) 냉동 컨테이너와 내장식 냉동 컨테이너의 두 종류로 분류된다.
3) 오픈 탑(Open Top) Container : 기계류, 철강제품, 판유리등 중량화물 수송에 적합한 컨테이너로서 천장을 개방 할 수 있도록 캔버스 덮개로 되어 있으며 적입(積入), 적출시(積出時)에는 크레인을 사용, 컨테이너 상부에서 하역을 할 수 있는 것이 특징이다.
4) 플랫 랙(Flat Rack) Container : Platform container라고도 하는데 dry container의 천장과 좌우 측벽(側壁)을 제거한 모양으로서 양단벽(兩端壁)까지도 떼었다 붙였다 할 수 있어 바닥과 네구석의 기둥만의 형태가 된다.
5) 탱크(Tank) Container : 액체화물의 해상수송용 용기.
6) 통풍(Ventilated) Container : 통풍을 요하는 화물을 컨테이너로 운송할 때 사용되는 컨테이너로 일반적인 컨테이너와 외견상 비슷하나 컨테이너 위쪽과 아래쪽에 구멍이 있어 환기가 될 수 있도록 고안되어 있다. 주로 커피등 농산물을 수송할 때 사용된다.

※ 이외에도 Solid Bulk CNTR(살적(撒積)화물용), Insulated CNTR(과일, 야채용 냉장화물선), Tiltainer(지붕, 벽이 개방된 화물용 컨테이너), Hide CNTR(생피(生皮) 운송용), Live Stock(Pen) CNTR(가축등 생동물운송용) 등이 있다.

□ 컨테이너를 구조재질에 의해 분류할 때 종류와 특징에 대해 설명하시오? ★[검량사/검수사]

○ 컨테이너는 용도에 따라 다양한 재질로 만들어지고 있다. 크게 철제(steel) 컨테이너, 알루미늄(aluminium) 컨테이너, FRP(fiberglass reinforced plastics) 컨테이너로 구분된다.

1) 철재(Steel) 컨테이너 : 프레임(frame)과 판넬(panel)을 강재로 사용하여 전체를 전기용접에 의해서 제작되면 대부분의 컨테이너가 이에 해당한다. 제조원가가 저렴하지만 무겁고 녹슬기 쉬운 단점이 있다.
2) 알루미늄(Aluminium) 컨테이너 : 주로 냉장 또는 냉동용 컨테이너로 제작된다. 가벼운 편에 속하며 부식이 적다. 내구성과 유연성이 좋아 외부의 충격을 쉽게 흡수한다. 다만 제조원가가 비싼편에 속한다. 프레임을 전부 강재로 하고 판넬만 알루미늄으로 한 것과 프레임을 양끝만 강재로 하고 나머지는 전부 알루미늄 재질로 한 것이 있다.
3) FRP 컨테이너 : 내부용량이 크고 열전도율이 낮지만 무겁고 제조원가가 비싸다는 단점이 있다. 프레임은 강재이며 합판의 양면에 FRP를 코팅 또는 박판을 입힌 판넬로 만들어져 있다.

□ ISO에서 정한 컨테이너의 규격이나 성질에 대해 설명하시오?★[감정사]

○ 컨테이너의 규격은 ISO 668, ISO 6346 규칙에 따라 관리된다.

* ISO 668 Freight containers - Classification, dimensions and ratings(화물컨테이너 - 분류, 치수, 등급) : 복합운송에 사용되는 컨테이너를 분류하고 크기, 치수 및 사양을 표준화한 규격

* ISO 6346 Freight containers - Coding, identification and marking(화물컨테이너 - 코딩, 식별 및 표시) : 복합운송에 사용되는 컨테이너의 코딩, 식별 및 표시를 표준화한 규격

○ 컨테이너의 크기를 길이를 기준으로 분류할 경우에는 10ft, 20ft, 30ft, 40ft, 45ft, 48ft로 구분한다. TEU의 단위는 20ft가 기준이다. 높이의 분류는 일반적인 높이인 8ft 6inch와 하이큐브로 불리는 9ft 6inch로 구분된다.

○ 컨테이너라 함은 화물의 안전과 신속한 운송을 목적으로 단위화 된 용기에 화물을 넣어서 단일 적재화하는 수송용기이다. 컨테이너는 모양과 크기에 따라 구분되며 일반적으로 “화물용 컨테이너‘ 또는 ”밴“이라고도 부르고 있다.

○ 화물운송 용기로써의 조건은 구조, 강도 등에 충족할 수 있도록 ISO에서 규정하고 있고 구성조건은 다음과 같다.

1) 장기 또는 반복사용에 견딜 수 있는 충분한 강도가 있어야 한다
2) 내부화물을 중간에서 이적하지 않고 각종 수송과정에서도 화물이 안전하게 수송될 수 있도록 설계되어야 한다.
3) 수송 및 이동을 용이하게 할 수 있도록 장치되어야 한다.
4) 화물의 반입 및 반출이 용이하게 설계되어야 한다.

□ TEU란 무엇인가? ★[감정사/검수사]

○ Twenty-feet Equivalent Units, 20피트 컨테이너 1개를 나타내는 단위이다. 컨테이너 전용선의 적재용량을 나타내는 단위이기도 하다.

※ FEU : Forty-feet Equivalent Units, 40피트 컨테이너

□ 컨테이너에 부착한 표시판의 종류? ★[감정사]

○ 컨테이너 번호(영어문자+숫자 등 11자리, ex) ABCU 123 456 7)

○ 컨테이너 사이즈와 타입코드(ex. 42G0 : 길이 40ft, 높이 8'6", General)

○ 세관승인 표찰(CCC : Customs Convention on Container 협약 규정)

○ CSC안전승인 표찰(CSC : Container Safety Convention의 약어로 International Convention for Safe Containers, 컨테이너 안전을 위한 국제협약)

○ 컨테이너 중량표시(Tare, Max. pay Load, Max. Gross Weight 등이다.

□ 컨테이너 번호에 대해서 설명하시오? ★★[감정사/검수사]

○ 컨테이너 번호는 총11개의 문자와 숫자로 이루어져 있으며 문자 4개, 숫자 7개로 구성되어 있다.

○ 소유자 표시 : 소유주의 특징을 표시한 첫 번째에서 세 번째까지의 3자리의 영문자와 "U"를 네 번째 자리로 하여 전체 4자리의 영문자로 구성된다.

○ 컨테이너 일련번호 : 3개의 숫자가 두 개의 그룹으로 표시되어 있다. 이 번호는 컨테이너 제작업자에게 컨테이너 제작을 의뢰할 때 컨테이너 소유주가 선택하게 된다. 보통 소유주는 이전에 구매했던 컨테이너의 일련번호 다음 번호를 선택한다.

○ 체크 디지트(check digit) : 맨 마지막 11번째에 두며, 앞 10자리의 영문자

와 숫자의 잘못이 없는가를 검산하기 위하여 사용한다.

ABCU 123 4567

소유자표시(3) 고정(1) Serial No.(6) Check digit(1)

□ **CSC 안전승인 표찰에 표기되는 내용은 무엇인가?** ★[감정사/검량사]

○ CSC란 Container Safety Convention의 약어로 컨테이너 안전을 위한 국제협약(International Convention for Safe Containers)를 말한다.

○ CSC 안전승인 표찰에 표기되는 내용들은

1) 일련코드(승인국가, 승인번호 그리고 승인년도)
2) 제조일자
3) 제조업자의 컨테이너 식별번호
4) 최대 총중량
5) 허용안전무게
6) 적화 랙킹 테스트와 컨테이너 방벽의 적화 및 보관 길이
7) 컨테이너 재검사 날짜 등이다.

□ **CCC협약의 컨테이너 세관승인표찰에 기록되는 내용은?** ★[감정사]

○ CCC협약(컨테이너에 관한 관세협약, Customs Convention on Container)은 1956년 유럽경제위원회가 채택하고 우리나라가 1981년에 가입한 컨테이너 운송에 관한 국제협약이다.

○ 컨테이너가 국경을 통과할 때 관세 및 통관방법 등을 정하고 있다. 주요내용으로는 ① 일시적으로 수입된 컨테이너를 적재 수출조건으로 면세 ② 국제보세운송에 있어서 체약국 정부 세관의 봉인 존중 등이다.

○ 세관승인표찰에는 3가지가 기록되는데 ① 승인을 받은 국가명과 승인번호 및 승인년도 ② 컨테이너 형태 ③ 제조업자 식별번호 이다

☞ 23년 감정사 시험에 「컨테이너 관세협약이 무엇이냐?」는 질문이 출제되었다.

□ Tare weight란 무엇인지 구체적으로 설명하시오? ★[감정사]

○ Tare weight(자중). 빈 컨테이너의 무게를 말한다.

□ 9피트 6인치 컨테이너를 무엇이라 하는가? ★[감정사]

○ 일반적인 컨테이너의 높이는 8.5피트(8피트 6인치) 이고 높이가 9.5피트(9피트 6인치) 컨테이너를 하이큐브 컨테이너라 한다.

□ 베이플랜의 6자리 숫자에 대해 설명하고 컨테이너 적재 위치가 09-04-10 이라면 이 컨테이너의 위치는? ★★★[감정사/검량사/검수사]

○ 컨테이너선에서의 적재위치를 잘 알 수 있도록 3차원 입체배열로서 일정위치를 나타내는 Numeric system을 사용한다. 즉 컨테이너 위치는 Bay No, Row No, Tier No로 구분된 6자리의 Cell No로 표시된다.

○ 09-04-10은 20ft 컨테이너가 베이 09, 열 04(중심선으로부터 좌현 2번째), 그리고 단 10(홀드의 밑바닥으로부터 5번째)를 나타낸다.

* (bay) "짝사홀이" 짝수이면 40ft, 홀수이면 20ft, (row) "좌짝우홀", 짝수이면 좌현, 홀수이면 우현, (tier) 82이상이면 갑판, 02로 시작되면 hold 이다.

□ 컨테이너의 고박방법에 대해 설명하시오? ★★★[감정사/검량사]

○ 컨테이너 고박방법에는 시큐어링(Securing)과 라싱(Lashing)을 하는 방법이 있는데 Securing은 갑판적 컨테이너의 수평이동을 방지하고, Lashing은 컨테이너가 전도되는 것을 방지한다.

○ 컨테이너선에는 컨테이너를 적재하기 위해 화물창에는 셀 가이드(cell guide)가 설치되어 있고 갑판에는 라싱 브릿지(lashing bridge)가 설치되어 있다.

[Cell Guide]	[Lashing Bridge]

○ 화물창에 내적된 컨테이너는 셀 가이드의 구조에 의하여 수평이동이 억제되므로 시큐어링과 라싱이 필요 없으며 갑판 및 해치커버위에 적재된 컨테이너는 이동의 위험이 크므로 이를 안정되게 운송하기 위해 시큐어링과 라싱을 하게 된다.

1) 시큐어링 방법 및 사용되는 장비

① 갑판면과 갑판적한 최하단 컨테이너의 코너피팅과의 사이는 수평 및 수직방향으로 시큐어링 한다.(Flush socket + Twist rock)

② 갑판적한 컨테이너 각단의 코너피팅 사이는 수평 및 수직방향으로 시큐어링 한다.(Twist rock + Vertical stacker)

③ 갑판적한 최상단 컨테이너와 인접한 열의 컨테이너를 연결한다.
(Bridge fittings 또는 Bridge connector)

* (Flush) Socket : 갑판적 컨테이너용으로 해치커버 등에 고정되어 있으며, 트위스트락을 꽂아서 컨테이너를 고박시키게 되어 있으며 싱글타입과 더블타입의 두가지가 있다.

* 트위스트 락(Twist lock) : 해치커버 등의 갑판과 컨테이너 사이, 또는 컨테이너와 컨테이너 사이를 수직방향으로 고정한다.

* 브릿지 피팅(Bridge fittings) : 선박에 컨테이너를 선적을 하고 바로 옆의 컨테이너끼리 일체화를 시키고 운송 중 발생할 수 있는 흔들림이나, 태풍, 파도 등의 외부의 힘을 버텨내기 위하여 외부에서 고정을 하는 역할을 한다. 캐스팅 상하 양방향으로 체결하는 트위스트 락(Twist lock)에 비해 수평연결의 차이점이 있다.

* 버티컬 스택커(Vertical stacker) : 브릿지 피팅(Bridge fittings)이 최상단 컨테이너의 좌우 컨테이너와 수평연결하는 장비라고 하면 버티컬 스택커는 최상단과 최하단을 제외한 나머지 컨테이너끼리 수평연결하는 장비이다.

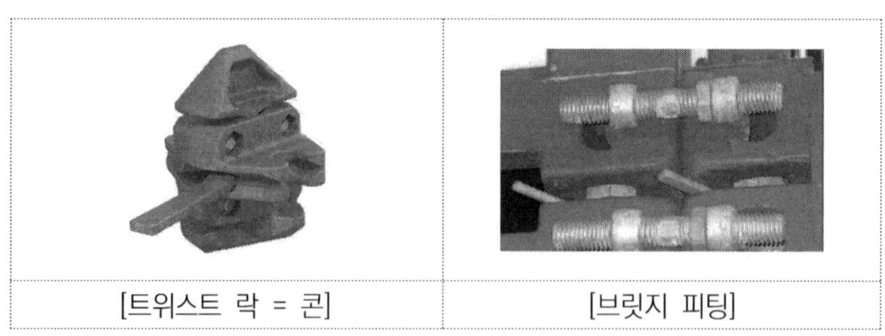

[트위스트 락 = 콘]	[브릿지 피팅]

2) 라싱 방법 및 사용되는 장비

① Eye plate : 해치커버 등에 고정하여 턴 버클(Turn buckle)을 연결시키

게 되며 eye가 1개인 것과 2개~5개인 것도 있다.

② 라싱 로드(Lashing rod) : 컨테이너의 코너피팅과 턴버클을 연결한다.

③ 턴 버클(Turn buckle) : 해치커버 또는 갑판상에 있는 Eye plate와 Lashing Rod를 연결하여 고정시킨다.

※ 라싱로드와 턴 버클은 결국 컨테이너의 대각선 방향으로 하나로 연결되어 라싱된다(컨테이너 코너피팅+라싱로드+턴버클+아이 플레이트 순이다)

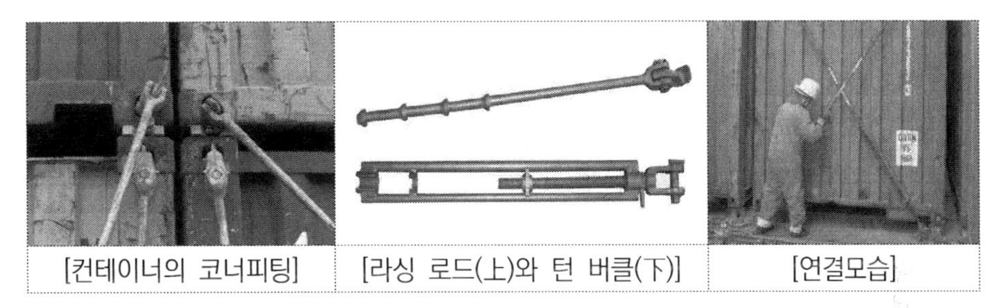

[컨테이너의 코너피팅] [라싱 로드(上)와 턴 버클(下)] [연결모습]

☞ 「컨테이너의 시큐어링 시스템에 대해서 설명하시오?」, 「컨테이너 라싱작업 할 때 사용되는 도구명을 영어용어로 설명하시오?」 「컨테이너 고박방법에 대해서 설명하시오?」 등 다양하게 물어볼 수 있다. 특히 고박방법에 대해서 물어보는 경우 컨테이너 내부화물 고박인지? 외부고박인지? 시큐어링을 물어보는 건지 라싱을 물어보는 건지를 면접관에게 확실하게 되물어보고 답하는 것이 좋은방법이다.

□ 하역방식에 대해 설명하시오? ★[감정사]

○ LO/LO 방식(LIFT ON/LIFT OFF) : 화물을 선적·양하 할때에는 해치를 통하는 수직하역방법으로 윈치 또는 크레인을 이용한다.

○ RO/RO 방식(ROLL ON/ROLL OFF) : 화물을 선적·양하 할때에는 본선의 앞·옆·뒤쪽에 설치되어 있는 부두측면(ramp way)를 통하여 트랙터, 트럭, 섀시, 포크리프트를 이용하여 작업하는 수평하역 방식이다.

○ DO/DO 방식(DRIVE ON/DRIVE OFF) : ROLL ON ROLL OFF System과 동일한 하역형태로서 카훼리에 여객(운전자)과 차량이 함께 승선한다.

○ FO/FO 방식(FLOAT ON/FLOAT OFF) : LASH선, SEA CARRIER선, SEA-Barge Clipper선 등 바지운송선을 이용한 하역방식이다.

☞ 22년 감정사 면접시에 "하역방식중 RO/RO와 FO/FO를 비교하여 설명하시오"라는 문제가 출제된 바 있다.

☐ LO/LO 방식에 대해 설명하시오? ★★[감정사]

○ Lift On / Lift Off System의 약자

○ 컨테이너 전용선을 하역 방식을 기준으로서 분류하면 2종류로 분류된다. LO/LO System과 RO/RO System이다. 본선 또는 육상의 크레인을 사용해서 컨테이너를 본선에 수직으로 적재하는 방식을 LO/LO System이라 부르고 수직하역 방식(Vertical Type)이라고도 부르고 있다.

☐ RO/RO System? ★★[감정사]

○ Roll On / Roll Off System의 약자

○ 화물을 적재한 트럭이나 트레일러는 안벽(부두)에서 그 화물을 풀지 않고 화물을 실은 그대로 배나 안벽에 설치된 다리(경사진 교판)를 건너 배의 측면(배 옆)이나 선미(배 뒷부분)에 설치된 램프(Ramp)를 통해서 선내의 선창에 들어가 소정의 위치에 정지해서 적부를(짐을 풀고) 하고 빈 차만 다시 나오는 방식을 말한다.

☐ FAK란 무엇인가? ★[검수사]

○ Freight All Kind Rate, 품목 무차별 운임이라고 부른다.

○ 화물의 형태, 성질, 가격 등과 관계없이 화물의 중량, 용적 또는 1개당에 대해서 똑같은 운임율을 적용하는 방식이다.

○ 컨테이너 운송에 있어서 재래형 정기선과 다르며 화물의 성격에 따른 적부상의 차는 크지 않고 가격 면에 있어서나 도난 또는 손상의 위험이 저하하므로, 품목별 운임율을 설정하는 근거는 적당하다고 볼 수가 없다는 주장도 있다.

예 상 문 제

□ 컨테이너 운송의 장단점을 설명하시오?

○ (장점) ① 생산지로부터 소비자까지 문전운송이 가능. ② 이동이 빠르고 화물의 파손, 좀도둑 피해 등이 감소. ③ 노무비와 포장비 절감효과. ④ 신속한 화물조작으로 운송기간이 단축효과가 있음

○ (단점) ① 인프라를 갖추기 위한 많은 자본이 필요 ② 근본적으로 모든 화물을 컨테이너화 할 수 없는 약점이 있음 ③ 시스템을 갖추고 유지하는데 많은 노력과 투자가 필요하다. ④ 공 컨테이너 회수문제가 발생되고 일부 국가에서 내륙운송에 제한을 가하는 경우가 있다.

□ 컨테이너 운송의 특성을 설명하시오?

1) 하역비 절감
2) 안전수송
3) 포장비 절감
4) 보관료절감
5) 문전서비스
6) 선하증권의 신속발행
7) 보험료 절감

□ 컨테이너 터미널의 시설의 종류와 기능에 대해 설명하시오?

○ 컨테이너 터미널에 설치된 시설은 항만의 지형, 해륙의 연락상황 혹은 출화(出貨)의 상태 등에 따라 일정하지 않지만 다음과 같은 시설을 보유하고 있다.

1) **부두(berth) 및 에이프런(apron)** : 컨테이너선이 접안하는 부두에는 하역용의 컨테이너 크레인(container crane)이 주행할 수 있는 레일(rail)이 설치되어 있고, 트레일러(trailer)나 스트레들 캐리어(straddle carrier)가 주행하기 위한 충분한 넓이의 에이프런(apron)이 설치되어 있다.

2) **마샬링 야드(marshalling yard)** : 컨테이너선에 선적할 컨테이너를 본선 입항전에 미리 선적할 순서로 배열해 두는 장소로서 에이프런과 인접하여 있다. 그 넓이는 해당 컨테이너 터미널에서 적양되는 컨테이너의 최대개수를

수용할 수 있게 충분한 공간을 확보하는 것이 조건이 된다.

3) **컨테이너 야드(container yard)** : FCL화물이 이곳에서 화주와 선박회사간에 수도가 이루어지는 곳이다.

4) CFS(container freight station) : LCL화물의 적입과 적출이 이루어지는 곳이다.

5) **스토리지 야드(storage yard)** : 빈 컨테이너를 놓아두는 곳이다.

6) **기타시설**

① 본부사무소(administration office)

② 전자계산실(computer room)

③ 컨트롤 타워(control tower) : 터미널내의 하역작업, 컨테이너의 배치, 기타 작업이 본부 지시대로 잘 실시되고 있는가를 감시·감독을 위해 설치된 장소이다.

④ **메인터넌스 샵(maintenance shop)** : 컨테이너 자체의 검사, 보수, 청소 등과 터미널내에 사용하는 각종의 기계, 기구류의 수리를 행하는 곳이다.

⑤ **게이트(gate)** : container yard의 관문으로 모든 화물, 빈컨테이너, 화물이 든 컨테이너의 출입을 감시하며 특히 화물이 든 컨테이너의 출입시에는 필요한 서류의 접수와 입화되는 컨테이너의 점검 및 총중량의 측정 등을 행한다. 중량측정을 하기 위하여 게이트에는 트럭 스케일(truck scale)이 설치되어 있다.

□ ISO 규격 20피트 형 컨테이너 2개를 합한 실제길이와 ISO 규격 40피트 형 컨테이너 1개의 실제 길이를 비교했을 때 길이가 더 긴 것은 어느것인가?

○ 20ft를 단위변환 했을 때 6,096mm(1ft=30.48cm)이나 20피트 컨테이너의 실제길이는 6,058mm로 단위변환 길이보다 약간 작다.

○ 그러므로 40피트형 컨테이너가 더 길다.

※ 30ft는 9,125mm, 40ft는 12,192mm, 45ft는 13,716mm이다. 즉 20ft, 30ft는 실제길이가 단위변환 길이보다 약간 작다.

※ 현장에서는 40피트 컨테이너 1개 = 20피트 컨테이너 2개의 길이로 간주하고 있다.

□ 컨테이너를 규격별로 크기를 설명하시오?

○ 컨테이너의 규격상 길이는 10ft, 20ft, 30ft, 40ft, 45ft로 구분되고 높이는 8ft, 8ft 6inch, 9ft 6inch로 구분한다. 높이 9ft 6inch를 하이큐브라고 한다. 컨테이너의 폭은 8ft로 동일하다.

※ 「해상컨테이너 지침(KR)」상의 컨테이너 외부치수표

표기	구분	외부치수(mm)		
		길이(L)	폭(W)	높이(H)
1EEE	**45ft HC**	**45ft(13,716)**	**8ft(2,438)**	**9ft 6in(2,896)**
1EE	45ft	45ft(13,716)	〃	8ft 6in(2,591)
1AAA	**40ft HC**	**40ft(12,192)**	〃	**9ft 6in(2,896)**
1AA	40ft	40ft(12,192)	〃	8ft 6in(2,591)
1A	40ft	40ft(12,192)	〃	8ft(2,438)
1BBB	**30ft HC**	**30ft(9,125)**	〃	**9ft 6in(2,896)**
1BB	30ft	30ft(9,125)	〃	8ft 6in(2,591)
1B	30ft	30ft(9,125)	〃	8ft(2,438)
1CC	20ft	20ft(6,058)	〃	8ft 6in(2,591)
1C	20ft	20ft(6,058)	〃	8ft(2,438)
1D	10ft	10ft(2,991)	〃	8ft(2,438)

□ 20피트 컨테이너의 폭, 높이, 길이는 얼마인가?

○ 길이 (6,058mm)(20ft) × 폭 (2,438mm)(8ft) × 높이 (2,591mm)(8ft 6in)

□ 네기둥만 있는 운송용 컨테이너는 무엇인가?

○ Flat rack container

□ 컨테이너의 ISO 규격에 대해 설명하시오?

○ International Organization for Standardization, 국제 표준화 기구

1) ISO 668 Freight containers – Classification, dimensions and ratings (화물컨테이너 - 분류, 치수, 등급) : 복합운송에 사용되는 컨테이너를 분류하고 크기, 치수 및 사양을 표준화한 규격

2) ISO 6346 Freight containers – Coding, identification and marking

(화물컨테이너 - 코딩, 식별 및 표시) : 복합운송에 사용되는 컨테이너의 코딩, 식별 및 표시를 표준화한 규격

□ 컨테이너선의 종류와 분류방식을 설명하시오?

○ 컨테이너화물의 운송에 적합하도록 설계된 구조를 갖춘 고속대형화물선을 말한다. 컨테이너선은 다음과 같이 분류된다.

1) Full container ship(專用船) : 선창을 컨테이너의 적재를 위하여 전용화한 선박을 말한다. 일반적으로 LO/LO선에서는 셀구조를 채용하고 갑판상에도 상갑판을 포함한 전선창에 컨테이너 및 트레일러를 함께 적재할 수 있도록 설계되어 있다.

   ※ 선창에는 cell guide, 갑판에는 lashing bridge가 설치되어 있다.

2) Semi container ship(分載型船) : 재래선 선창에 컨테이너 적재를 위한 셀 가이드를 설치 개조하고 갑판위에도 적재할 수 있도록 설비한 선박으로서 일반화물을 함께 적재하기도 한다. 선상에 기중기가 설치되어 있다.

3) Convertible container ship(Conventional ship, 乘用型船) : 재래 화물선에 소수의 컨테이너를 적재하여 수송하는 방법으로 일반잡화와 컨테이너를 혼용하여 적재할 수 있도록 설비된 선박이다.

□ 길이 40피트, 높이 8피트 6인치, 폭 2,438mm, 일반용도 컨테이너(표준형)에 해당하는 컨테이너의 규격기호는 어떻게 되는가?

○ 42G0(길이 40피트 "4", 높이 8피트 6인치 "2", 폭 2,438mm, 일반용도 컨테이너(표준형) "G0")이다.

길이(Length)		높이(High)		타입(Type)	
2	20ft	2	8ft 6in	G1	General Purpose Container
4	40ft	5	9ft 6in	R1	Refrigerated Container
L	45ft			U1	Open Top Container
M	48ft			P1	Platform Container
				T1	Tank Container

□ 20ft와 40ft컨테이너 중량에 대해 설명하시오?

○ 20ft : Tare 2,260kg + 최대적재중량(Max payload) 21,740kg

= 24,000kg(최대총중량)

○ 40ft : Tare 3,740kg + 최대적재중량(Max payload) 26,740kg
= 30,480kg(최대총중량)

□ Maximum payload?

○ Max. Payload(최대적재중량)는 "최대총중량(Maximum gross weight) - 빈컨테이너 무게(Tare Weight)"

□ 피더선 이란 무엇인가?

○ feeder ship, feeder container ship이라 한다.

○ 대형 컨테이너 선박이 기항하는 중추항만과 인근 중소형 항만간에 컨테이너를 수송하는 피더서비스에 사용되는 중소형 컨테이너 선박을 뜻한다.

○ 모선(Mother Container Vessel)은 Hub Port와 Hub Port 또는 원거리 운송 서비스를 제공하는 규모가 상당한 선박이라고 하면 피더선은 허브항에서 지역항으로 운송을 담당하는 소규모 선박으로서 바지선 혹은 중소형 컨테이너 선박이 될 수 있다.

* 운반용량이 100~3,000TEU를 피더선이라 한다. 100~2,000TEU를 소형피더선, 2,000~3,000TEU를 대형피더선으로 구분한다.

□ 컨테이너의 코너피팅과 턴버클을 연결하는 장비?

○ Lashing Bar

□ Break Bulk Cargo는 무엇인가?

○ break bulk 화물이란 두가지 의미를 가지고 있다.

1) bulk화물을 어떤 용기 또는 포장재 즉, drum, crate, skid 등으로 포장된 화물

2) 크기로 인해 컨테이너 같은 용기에 수납할 수 없는 화물. 특히 컨테이너화 되지 않고 재래정기선에 의하여 운송되는 화물을 말함

* OOG (Out of Gauge) 화물처럼 40ft flat rack과 같은 컨테이너로 선적 할 정도의 크기가 아닌 훨씬 큰 화물을 말한다.

□ **다음의 컨테이너의 용어에 대해 설명하시오?**

○ 외부치수(Overall External Dimension) : 컨테이너 외부의 높이, 폭, 길이에 항구적인 부속품을 포함한 최대치

○ 내부치수(Internal Dimension) : 높이는 Roof 하면에서 Floor 상면까지의 치수, 폭은 Side Lining의 내면간 치수, 길이는 Door Sheet 내면에서 앞벽 내장까지의 치수

○ 내부용적(Unobstructed Capacity) : 내부치수로서 결정되는 용적

○ 문의 개구부 치수(Dimension of Door Opening) : 문의 개구부의 최소높이 및 최소폭의 치수

※ 컨테이너 용어 및 각부명칭

구 분	내 용
Tare Weight (자체중량)	빈 컨테이너 무게
Maximum Gross Weight (최대총중량)	자체중량 + 최대적재중량
Maximum Pay Load (최대적재중량)	최대총중량 - 자체중량
Overall External Dimension (외면(외부) 치수)	컨테이너 외부의 높이, 폭, 길이에 항구적인 부속품을 포함한 최대치
Internal Dimension (내면(내부) 치수)	높이는 Roof 하면에서 Floor 상면까지의 치수, 폭은 Side Lining의 내면간 치수, 길이는 Door Sheet 내면에서 앞벽 내장까지의 치수
Unobstructed Capacity (내면용적)	내부치수로서 결정되는 용적
Dimension of Door Opening (문 개구부 치수)	문의 개구부의 최소높이 및 최소폭의 치수

□ **Container Service Charge는 무엇인가?**

○ C.F.S 화물에 부과되는 것으로 선박회사에서 수취되며 LCL 화물에 대해 징수하는 요금이다.

□ Detention Charge란?

○ 컨테이너를 대여 받았을 경우 일정한 허용기간(Free Time)내에 반환하지 않으면 차용주는 비용을 징수당하는 금액을 말한다.

□ **컨테이너 내적표(CLP)는 무엇인가?**

○ Container Load Plan이다.

○ 컨테이너에 채워진 화물의 명세나 인도방식을 적은 표이다. 컨테이너 1개마다 당해 컨테이너에 적재된 화물에 관한 일체의 정보를 기재한 서류이다.

※ 컨테이너에 화물적입(Vanning)이 완료되면 검수사에 의해 작성된 적입검수표와 부두수취증에 의해 각 컨테이너별로 CLP를 작성하여 선사 또는 화주에게 제출한다

□ Inland Depot(내륙기지) 이란 무엇인가?

○ 컨테이너 대상 화물에 따라 능률적으로 수송하기 위해 부두 지구 이외의 내륙 지방의 중요 공업 단지 주변에 설치된 컨테이너 집적 장소를 말한다.

○ 컨테이너의 배정, 컨테이너 Vanning, Devanning 등의 기능을 가지고 있다.

○ Inland Depot는 ICD라고도 하는데 'Inland Container Depot' 또는 'Inland Clearance Depot'(내륙통관기지) 라고도 하는데 후자는 엄밀하게 말하면 검역·통관이 가능한 기지를 일컫는 단어로 의왕과 양산의 컨테이너 기지가 전형적인 ICD이다. 둘 다 혼용하여 쓰이는 용어이다.

□ Equipment Interchange Agreement 란 무엇인가?

○ 기기 상호 교환 협정

○ 운송인 간에 컨테이너, 트레일러 등의 운송기구의 권리, 의무를 계승하여 상호간의 융통하고 사용하기 위해 또는 일관수송을 행하기 위한 협정이며 동종의 운송인간 또는 이종의 운송인간에 체결한다.

○ 선박회사는 내륙부에서 항까지의 빈 컨테이너의 반송료를 부담하지 않는 대신에 철도, 트럭업자는 내륙에 항까지의 반환을 하지 않는 한 빈 컨테이너를 내국화물의 수송에 이용되는 등의 이점을 얻을 수가 있다.

□ LCL Cargo와 LTL Cargo에 대해 설명하시오?

○ LCL Cargo : Less than Container Load Cargo의 약자, 컨테이너 1개에 가득 차지 않는 작은 화물을 말한다. LCL Cargo는 CFS에 집적되어 선박회사에서 혼새하거나 혼재업자에 의해 컨테이너화 된다.

○ LTL Cargo : Less than Truck(or Trailer) Load Cargo의 약자, LCL Cargo와 같은 의미이며, 트럭 또는 트레일러에 만재하는데 도달하지 않는 소형화물을 말한다.

□ Marshalling Yard란 무엇인가?

○ 컨테이너선에 직접 양적화 하는 컨테이너를 정렬시켜 놓은 넓은 장소를 말하며 통상 Marshalling Yard에는 컨테이너 사이즈에 대해 사전에 땅바닥에다 구획을 그려놓는다.

○ 이것을 'Slot'이라고 한다. 이 Slot에는 번호나 Mark(부호)가 붙고, 선적 컨테이너의 양하지, 중량 등에 의한 선내의 적부 계획을 행할 때 이 적부계획에 따라 소정의 Slot에 컨테이너를 배치시키는 이점도 있다.

□ Maintenance Shop이란?

○ Repair Shop이라고도 한다.

○ 컨테이너 뿐만 아니라 컨테이너 취급에 필요한 모든 기기의 검사, 보수, 수리, 유지 등을 정하는 작업장이다.

□ 컨테이너의 도로수송 방식과 철도수송방식에 대해 설명하시오?

○ 도로수송 방식으로는 ① Full 트레일러(전·후에 바퀴가 있음)와 ② Semi 트레일러(앞 바퀴대신 받침대가 있음)방식이 있다.

○ 철도수송 방식으로는

1) TOFC(Trailer On Flat Car) 방식 : 컨테이너를 실은 트레일러 채로 철도에 적재하는 운송방식이다.

① Piggy-back 방식 : 트럭을 그대로 싣거나 세미 트레일러를 실어 자동차의 기동력과 철도의 대량수송을 결부시킨 방식(돼지 등에 돼지새끼가 올라타 있는 형상과 같다고 해서 붙여진 명칭)

② Kangaroo 방식 : 트레일러 바퀴와 화차에 접지되는 부분을 경사진 요철

형태로 만들어 적재높이가 낮아지도록 하여 운송하는 방식.

2) COFC(Container On Flat Car) 방식 : 컨테이너를 트레일러와 분리하여 철도의 화차대, 즉 컨테이너 전용화차에 적재하여 수송하는 방식.

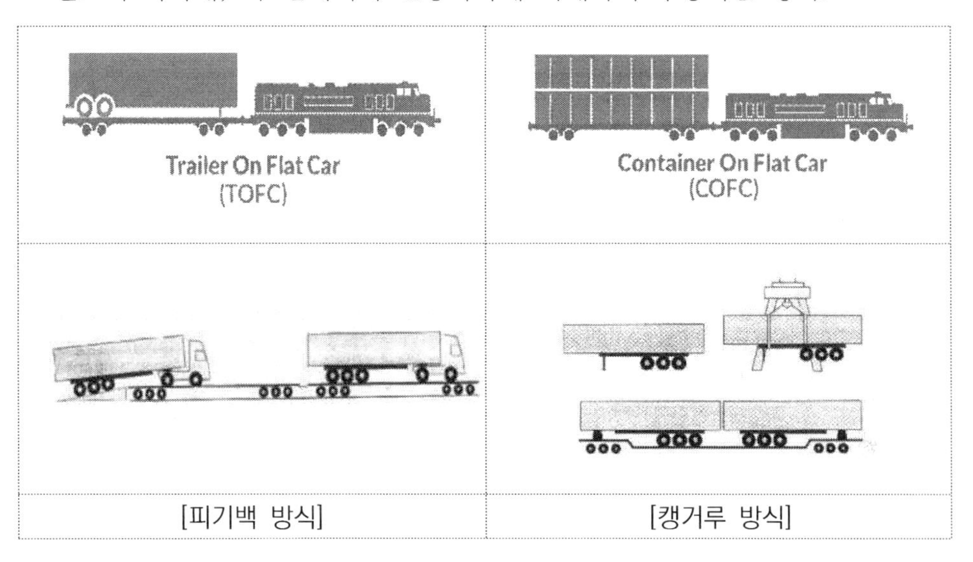

[피기백 방식] [캥거루 방식]

□ Piggyback System을 설명하시오?

○ 철도의 차륜에 컨테이너를 적재한 트레일러 그대로 탑재해서 운송하는 방식이며 TOFC운송이라고도 한다. 트레일러에 적입된 화물을 화주의 창고에서 옮겨 신고 출발역까지 운송해서 출발역에서 도착역까지는 철도로서 수송하며, 도착역에서 수화주의 창고까지 배달하는 방식으로서 철도에 의한 신속하고 정확한 장거리 수송의 이점과 자동차에 의한 집배송의 이점을 결합한 철도와 자동차의 복합 운송이다.

□ 화물총중량 검증제도(VGM)에 대해 설명하시오?

○ Verified Gross Mass.

○ 컨테이너 중량검증 관련 규정은 해상화물 운송에 있어 정확한 수출 컨테이너 중량측정의 필요성이 제기되면서 IMO에서 2014년 SOLAS를 개정하여 2016.7.1.부터 시행되고 있다.

○ 이 규제에 따라 화주는 컨테이너에 화물을 적재하여 운송하는 경우 승인된 중량측정소에서 적재된 컨테이너의 중량측정 등의 방법으로 화물중량을 검

증하여 선사 및 터미널에 제공해야 하는 제도이다.

○ VGM이란 화물의 무게와 화물의 컨테이너 적재를 위해 사용되는 포장재와 고박장치, 그리고 컨테이너 자체의 무게를 모두 합산한 중량을 의미한다.

□ CIP란 무엇인가?

○ Container Inspection Program, 수입 위험물 컨테이너 점검제도

○ 국제해상위험물규칙(IMDG)등의 국제기준과 국내의 위험물 안전관리법에 따라 컨테이너에 적재된 해상운송위험물이 안전하게 적재되고 취급되는지를 점검하고 시정하는 제도이다

○ 1970년대 이후 컨테이너 해상운송의 빠른 증가와 함께 위험물이 적재된 컨테이너의 운송 또한 크게 증가하여 위험물 컨테이너의 안전한 운송에 관한 국제적 논의가 진행되어 IMO는 각 회원국에게 CIP 제도 시행을 강력히 촉구하여 우리나라는 2002년부터 국내에 수입 또는 국내항에서 환적되는 위험물컨테이너에 대해 CIP를 시행하고 있다.

○ 주요 점검사항으로는

1) 선적서류와 컨테이너 적재 위험물의 일치 여부
2) 컨테이너 안전승인판(CSC 승인판) 확인
3) 컨테이너 자체 손상 여부 확인
4) 위험성을 표시하는 표찰의 부착 및 적정여부
5) 위험물 용기의 형식승인 및 검사여부
6) 적재방법 및 고박의 적정여부 등

□ 화물적부도와 베이플랜을 구분하여 설명 하시오?

1) 화물적부도(Cargo Stowage Plan) : 화물이 선적되기 전에 선적지시서를 참조하여 1등 항해사가 각 해치별로 각 화물이 적부될 위치를 계획하여 작성한 화물적재계획서.
2) 베이플랜(Bay plan) : 각 컨테이너의 위치, 선적항 및 양하항, 화물의 종류 등의 주요 정보가 기재되어 있는 서류

제8장. SOLAS와 위험물

○ 제8장은 감정사, 검량사, 검수사 시험에서 자주 출제되는 분야이다

○ 제7장에서 컨테이너 선박과 컨테이너 화물에 대해 알아보았으며, 본 장에서는 이러한 선박과 화물이 결국은 국가간 이동을 하기 때문에 이에 필요한 국제협약 중 선박의 안전 운항과 관련된 SOLAS 협약에 대해 알아본다.

○ SOLAS 영문의 전체 이름부터 각 장의 Code까지 생소한 용어로 외울 것들이 많은 장이다.

○ IMDG Code 1급~9급까지의 종류는 어떠한 형태로든지 출제된다. 예를 들어 1급부터 6급까지 말하시오 라든지 1,3,5급에 대해 말하시오 라든지 다양하게 물어볼 수 있다. 이를 정확히 암기하여 다양한 질문형태에 답변할 수 있어야 한다.

※ Key Word : SOLAS, IMDG Code, MSDS, 위험화물

기 출 문 제

□ **IMDG 코드에 대해서 설명하시오?** ★★[감정사]

○ International Maritime Dangerous Goods의 약자이다.

○ 국제해사기구(IMO)에서 위험물을 1-9등급으로 구분하고 UN번호순으로 정리한 규칙이다.

○ IMDG code란 국제 해사 위험물 운송규칙으로 2,900여종에 달하는 포장된 형태 위험물의 해상운송을 위한 적재 방법 등을 규정한 국제규칙이다. 1965년 9월 국제해사기구(IMO)에 의해 채택되었으며 SOLAS 협약 제7장에 규정되어 있다.

□ **IMDG Code 9가지에 대해 설명하시오?** ★★★[감정사/검량사/검수사]

○ 제1급부터 9급까지 분류(영어로 답변을 요구하기도 한다)

1. 제1급 화약류(Class 1. Explosive)
2. 제2급 고압가스(Class 2. Gases)
3. 제3급 인화성액체류(Class 3. Flammable Liquid)
4. 제4급 가연성물질류(Class 4. Flammable Solids)
5. 제5급 산화성물질류(Class 5. Oxidizing substance and Organic peroxides)
6. 제6급 독물류(Class 6. Toxic Substance)
7. 제7급 방사성물질(Class 7. Radioactive material)
8. 제8급 부식성물질(Class 8. Corrosive)
9. 제9급 유해성물질(Class 9. Miscellaneous Dangerous goods)

※ 1급~9급의 한글명칭은 「위험물 선박운송 및 저장규칙」으로 통일하였다.

☞ 면접관에 따라 순서에 따라 물어보기도 하고 "제3급, 5급, 7급에 대해 말하시오"라고 특정해서 질의하기도 하고 "1급부터 6급까지 말하시오" 라고 질의하거나 "IMO의 위험물 코드", "SOLAS의 위험물 코드" 등으로도 다양하게 질문하는 경향이 있다.(매년 출제되는 문제이다.)

□ **위험화물에 관련된 협약에 대해 설명하시오?** ★[감정사]

○ 위험화물에 관련된 국제협약으로는 「해양오염방지에 관한 국제협약(MARPOL 73/78)」과 「국제해상인명안전협약(SOLAS 1974)」등이 있음

○ 「해앙오염방지에 관한 국제협약(MARPOL 73/78)」에서는

1) 부속서 I, 기름

2) 부속서 II, 산적유해액체물질

3) 부속서 III, 포장유해물질을 규정하고 있음

○ 국제해상인명안전협약(SOLAS 1974) 제7장(위험물의 운반)에서는

1) A편, IMDG Code(포장된 형태의 위험물의 운송)

2) A-1편, IMSBC Code(산적고체형태의 위험물의 운송)

3) B편, IBC Code(위험액체 화학물을 산적 운송하는 선박의 구조 및 설비)

4) C편, IGC Code(액화가스를 산적 운송하는 선박의 구조 및 설비)

5) D편, INF Code(포장된 형태의 사용후 핵연료, 플루토늄 및 고준위 방사성 폐기물의 선박운송을 위한 특별요건)으로 구성되어 있음

□ **위험화물에 운반과 관련된 국제협약 또는 규칙에 대해 설명하시오?** ★[감정사]

○ 위험화물에 관련된 국제협약으로는 「해양오염방지에 관한 국제협약(MARPOL 73/78)」과 「국제해상인명안전협약(SOLAS 1974)」등이 있음

○ 국제해상인명안전협약(SOLAS 1974) 제7장(위험물의 운반)에서는 다음과 같은 규칙들이 규정되어 있다.

1) IMDG Code : 포장된 형태의 위험물의 운송 규칙

* International Maritime Dangerous Goods Code

2) IMSBC Code : 산적고체형태의 위험물의 운송 규칙

* International Maritime Solid Bulk Cargoes Code

3) IBC Code : 위험액체 화학물을 산적 운송하는 선박의 구조 및 설비 규칙

* The International Code for the Construction and Equipment of Ships Carrying Dangerous Chemicals in Bulk

4) IGC Code : 액화가스를 산적 운송하는 선박의 구조 및 설비 규칙

* International Code for the Construction and Equipment of Ships Carrying Liquefied Gases in Bulk

5) INF Code : 포장된 형태의 사용후 핵연료, 플루토늄 및 고준위 방사성

폐기물의 선박운송을 위한 특별요건 규칙

* International Code for the Safety Carriage of Packaged Irradiated Nuclear Fuel, Plutonium and High Radioactive Waste on board Ships

□ SOLAS에 대해서 설명하시오? ★★[감정사]

○ International Convention for the Safety of Life at Sea의 약자이다

○ 1974년 해상인명안전협약으로 국제적으로 통일된 원칙과 그에 따른 규칙의 설정에 의하여 해상에서의 인명안전 증진 및 선박의 안전을 위한 선박의 구조, 설비 및 운항에 관한 최저기준을 설정하기 위해 만들어진 협약이다.

○ SOLAS협약은 본문과 14장(Chapter)으로 이루어져 있으며 1974.11.1. 채택되었고 1980.5.25. 발효되었다. 우리나라는 1981.3.31.일 발효되었다.

☼ SOLAS 목차

제1장	일반규정
제2-1장	건조 - 구조, 구획, 복원성, 기관 및 전기설비
제2-1장	건조 - 방화, 화재탐지 및 소화
제3장	구명설비 및 장치
제4장	무선통신
제5장	항해의 안전
제6장	화물 및 연료유의 운송
제7장	위험물의 운송
제8장	원자력선
제9장	선박의 안전 운항을 위한 관리
제10장	고속선의 안전 조치
제11-1장	해상안전 강화를 위한 특별조치
제11-2장	해상보안 강화를 위한 특별조치
제12장	산적화물선에 대한 추가 안전조치
제13장	준수에 대한 검증
제14장	극지해역을 운항하는 선박들에 대한 안전조치

□ **MARPOL에 대해서 설명하고 부속서를 순서대로 말하시오?** ★[감정사]

○ 선박으로부터 해양오염방지를 위한 국제협약(International Convention for the Prevention of Pollution from the Ships)이다.

○ 1973년 국제해사기구(IMO)에서 채택한 선박에 의한 오염방지를 위한 국제조약 및 이와 관련된 1978년 의정서를 말한다.

○ MARPOL 73/78협약이라고도 부른다.

※ MARPOL : Marine Pollution

○ 부속서는 1부터 부속서 6까지로 구성되어 있다.

1) 부속서 1 : **기름**(Oil)에 의한 오염방지를 위한 규칙
2) 부속서 2 : **산적유해액체물질**(Noxious Liquid Substances)에 의한 오염규제를 위한 규칙
3) 부속서 3 : **포장된 형태로 선박에 의하여 운송되는 유해물질**(Harmful Substances Carried by Sea in Package Form)에 의한 오염방지를 위한 규칙
4) 부속서 4 : 선박으로 부터의 **오수**(Sewage)에 의한 오염방지를 위한 규칙
5) 부속서 5 : 선박으로 부터의 **폐기물**(Garbage)에 의한 오염방지를 위한 규칙
6) 부속서 6 : 선박으로부터 **대기오염**(Air pollution)방지를 위한 규칙

□ **MSDS에 대해 설명하시오?** ★[감정사]

○ Material Safety Data Sheet(물질안전보건자료)의 약자

○ SOLAS 협약 제6장(화물 및 연료유 운송) 제5-1규칙에서 규정

○ 화학물질에 대한 안전상, 보건상의 기초자료를 정리하여 이에 따른 항목을 세분하여 근로자에게 제시함과 동시에 이를 활용하여 취급물질로 인한 재해가 발생하지 않도록 예방하는 데 목적을 두고 작성한 자료.

○ MARPOL 73/78 협약의 부속서Ⅰ의 화물과 해상연료유를 운송하는 선박은 이러한 화물의 선적전에 물질안전보건자료를 제공받아야 함

○ MSDS에 대해서는 우리나라에서는 산업안전보건법에 수용되어 있으며, 화학물질에 대하여 유해위험성, 응급조치요령, 취급방법 등 16가지 항목에 대해 상세하게 설명해주는 자료임. 화학물질을 제조·수입·사용·저장·운반하는 자는 이를 작성·비치하고, 화학물질을 양도하는 자는 이를 함께 양도한다. 이는 화학물질을 취급하는 근로자에게 유해성과 위험성을 알림으로써 근로자 스스로 자신을 보호하고 불의의 화학사고에 신속히 대응하는데 목표를 둠.

○ 물질안전보건자료 작성시 포함되어야 할 16가지 항목 및 순서

1) 화학제품과 회사에 관한 정보
2) 유해성·위험성
3) 구성성분의 명칭 및 함유량
4) 응급조치요령
5) 폭발·화재시 대처방법
6) 누출사고시 대처방법
7) 취급 및 저장방법
8) 노출방지 및 개인보호구
9) 물리화학적 특성
10) 안정성 및 반응성
11) 독성에 관한 정보
12) 환경에 미치는 영향
13) 폐기 시 주의사항
14) 운송에 필요한 정보
15) 법적규제 현황
16) 그 밖의 참고사항

☞ '면접시험에서 16가지를 모두 다 말하시오' 라고 물어보면 너무 과도하므로 보통 3~5개정도 말해보라고 한다. 요령 있게 암기할 필요가 있다.

□ 화재의 종류 및 소화 방법을 설명하시오? ★[감정사]

○ (A급 화재, 일반화재) 목재, 종이 등 연소 후 재를 남기는 화재
- ▸ 포말, 소화펌프, 분말을 이용한 냉각, 질식소화

○ (B급 화재) 연소후 재가 남지 않는 인화성 액체 및 고체유질 등의 화재
- ▸ 포말, CO_2, 분말 사용 질식소화

○ (C급 화재) : 전기 화재
- ▸ 전원차단 후 CO_2, 분말이용 질식, 냉각, 억제소화

○ (D급 화재) 칼륨 등 가연성 금속에 의한 화재
- ▸ 마른모래, 팽창질석을 이용한 질식소화 방법 사용

○ (E급 화재) LNG 등 가스 화재
- ▸ 가스차단 및 포말, 분말약재 사용 질식소화

※ 연소의 3요소 : 가연물, 산소, 점화원

예 상 문 제

□ SOLAS 협약 제7장(위험물의 운송) D편에 관해 설명하시오?

○ INF화물은 IMDG 코드의 제7류에 따른 화물로서 운송되는 포장된 사용후 핵연료, 플루토늄 및 고준위 방사성 폐기물을 의미한다.

○ 사용후 핵연료는 자발적인 핵 연쇄반응을 유지하기 위하여 사용되어 온 우라늄, 토륨 및/또는 플루토늄 동위원소를 포함하는 물질을 의미하고

○ 플루토늄은 재처리에서 나온 사용후 핵연료로부터 추출된 물질의 동위체의 합성혼합물을 말한다.

○ 고준위 폐기물은 사용후 연료를 재처리하기 위한 시설에서, 제1단계 추출시스템의 작업에서 발생하는 액체폐기물 또는 이후의 추출단계에서 나오는 농축폐기물, 또는 이러한 액체폐기물이 화학변환된 고체물질을 의미한다.

□ SOLAS에서 정하고 있는 산적화물에 대한 규칙에 대해 설명하시오?

○ 산적화물은 항해중 화물이동의 위험을 최소화하고 적정복원력을 확보하기 위하여 화물창의 가장자리까지 선적하고 가능한 한 평평하도록 트리밍을 하여야 한다.

□ 해상인명안전협약의 주요 구성에 대해 설명하시오?

○ SOLAS의 주목적은 선박의 건조, 장비, 운항의 측면에서 선박의 안전에 지장이 없는 최소한의 표준을 규정하는 것. SOLAS 1988 의정서는 16개의 Chapter로 구성

- ► 제1장. 일반규정
- ► 제2-1장. 건조-구조, 구획, 복원성, 기관 및 전기설비
- ► 제2-2장. 건조-방화, 화재탐지 및 소화
- ► 제3장. 구명설비 및 장치
- ► 제4장. 무선통신
- ► <u>제5장. 항해의 안전</u>
- ► <u>제6장. 화물 및 연료유의 운송</u>
- ► <u>제7장. 위험물의 운송</u>

▸ 제8장. 원자력선
▸ 제9장. 선박의 안전운항을 위한 관리
▸ 제10장. 고속선의 안전조치
▸ 제11-1장. 해상안전 강화를 위한 특별조치
▸ 제11-2장. 해상보안 강화를 위한 특별조치
▸ 제12장. 산적화물선에 대한 추가 안전조치
▸ 제13장. 준수에 대한 검증
▸ 제14장. 극지해역을 운항하는 선박들에 대한 안전조치

□ 인화성 액체류와 인화성 고체류의 위험물 등급을 말하시오?

○ 인화성 액체류(Flammable Liquids) : 제3급

○ 인화성 고체류(Flammable Solids) : 제4급(가연성 물질류)

□ ISPS Code에 대해 설명하시오?

○ International Shipping and Port Security Safety Code, 국제(항해)선박 및 항만시설 보안규칙이다.

○ 2001.9.11 미국의 항공기 테러 이후, 해상화물 운송선박 및 항만시설에 대한 테러 가능성이 제기됨에 따라 해상분야 보안강화를 위하여 IMO에서 ISPS Code을를 제정하여 2004.7.1부터 발효

○ 대상선박은 1) 국제항해에 종사하는 여객선과 총톤수 500톤 이상의 화물선 2) 국제항해에 종사하는 선박들이 이용하는 부두, 정박등 항만시설 이다.

□ NFPA에 대해 설명하시오?

○ NFPA는 미국화재예방협회(National Fire Protection Association)에서 발표한 규격이다.

○ 이 기호는 응급 상황에서 위험 물질에 대해 신속한 대응을 하기 위해 만들어진 소위 "fire diamond"로 표현된다. 이 규격은 응급상황 발생시, 만약 필요하다면 어떤 장비가 요구되는지, 어떤 처리절차가 필요한지, 혹은 어떠한 대책을 취해야할지를 결정하는 데 도움을 준다.

○ 4개의 기호체계는 일반적으로 청색은 “건강에 유해한 정도”, 적색은 “인화성”, 황색은 “(화학적) 반응성”, 백색은 기타 위험에 대한 정보를 알리는 코

드를 의미한다. 각 분야는 0(위험하지 않음)에서 4(매우 위험)의 4가지 단계로 구분된다.

※ 기타 주요 약어들

◦ MARPOL(International Convention for the Prevention of Pollution from Ships) 선박으로부터의 해양오염방지를 위해 채택되어진 국제협약
◦ IMO(International Maritime Organization) 국제해사기구
◦ STCW(The International Convention on Standards of Training Certification and Watch keeping for Seafarers) 선원의 훈련 · 자격증명 및 당직근무의 기준에 관한 국제협약
◦ SOPEP(Shipboard Oil Pollution Emergency Plan) 선상 기름오염 비상계획서
◦ ISM Code(International Safety Management Code) 국제안전관리규정
◦ IOPC(International Oil Pollution Compensation Funds) 국제유류오염보상기금
◦ IAMSAR Manual(International Aeronautical and Maritime Search and Rescue Manual) 국제 항공 및 해상수색구조 지침
◦ ISPS Code(International Shipping and Port Security Safety Code) 국제 선박 및 항만시설 보안규칙
◦ COLREG(Convention on the International Regulations for Preventing Collisions at Sea) 국제해상충돌예방규칙

제9장. 하역장치와 하역설비

○ 제8장에서 안전 항해를 위한 국제협약인 SOLAS협약에 대해 알아보았으며, 본 장에서는 본선과 육상에서 어떤 장비로 화물을 움직이는지 기계적인 측면을 알아본다.

○ 출제빈도가 그리 높지는 않으나 육상의 하역설비와 선박의 하역설비에 대해 알고 있어야 하며 선박의 하역설비중 데릭의 종류, 데릭과 크레인의 차이점에 대해서 알고 있어야 한다.

○ 최근에는 컨테이너 크레인(갠트리 크레인)의 구조와 종류에 대해서 출제되는 경향이다.

※ Key Word : 데릭, 크레인, 컨테이너 크레인

기 출 문 제

□ 하역설비에 대해서 설명하시오? ★[감정사]

○ 선박에 설치된 하역설비는 크게 데릭식과 크레인식으로 구별된다.

1) 데릭식 하역설비는 싱글데릭(Single Derrick)방식과 더블데릭(Double Derrick) 방식이 있다.

2) 크레인식 하역설비는 지브크레인과 선박용 교형주행 크레인 방식이 있다.

○ 육상의 하역설비로는 수평인입식 크레인(LLC ; Level Luffing Crane), 브리지타입 크레인(BTC ; Bridge Traveling Crane), 연속하역기기(CSU ; Continuous Ship Unloader), 컨테이너 크레인(C/C ; Container Crane), 스태커-리클레이머(S/R ; Stacker-Reclaimer), 벨트 컨베이어(Belt Conveyor) 등이 있다.

□ 데릭과 크레인중 어떤 것이 하역속도가 빠른가? ★[감정사]

○ 데릭은 설치비가 비교적 적게 들지만 하역을 위한 준비작업이 번거롭고 하역능률이 크레인에 비해 상대적으로 낮음.

○ 데릭의 회전은 180도에 불과하지만 크레인식은 360도 회전이 가능함

□ 유니언 퍼처스식 데릭과 지브크레인 중 어떤 것이 하역속도가 더 빠른가? ★[감정사]

○ 유니언 퍼쳐스식은 더블 데릭방식인 데릭식 하역설비이고 지브크레인은 크레인식 하역설비이다.

○ 데릭식 하역장치는 설치비가 비교적 적게 들지만 하역을 위한 준비작업이 번거롭고 하역능률이 상대적으로 낮음. 이러한 단점을 보완한 하역장치가 크레인식 하역장비이다.

○ 유니언 퍼쳐스식의 경우 180도 회전에 불과하지만 반면 크레인은 360도 회전하며 조작이 용이하며 지브크레인의 경우 두 대를 한번에 사용하여 중량물을 하역할 수 있다.

[싱글데릭식]

[더블데릭 - 유니언퍼쳐스식]

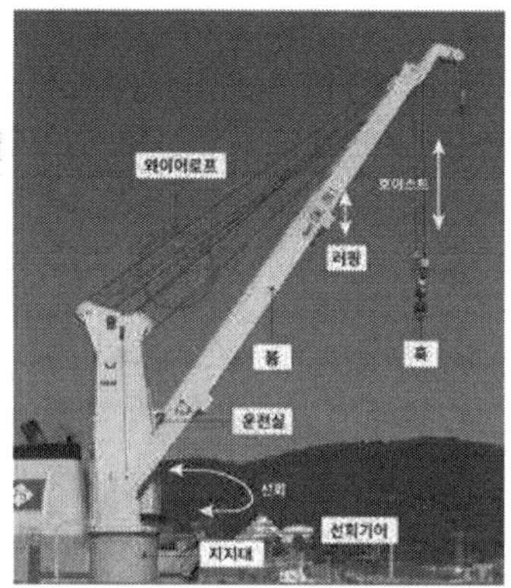

[지브크레인 방식]

□ 기존의 싱글 트롤리형 C/C의 취약점을 보완한 신개념의 C/C이 개발되고 있다. 각각의 특징에 대해 설명하시오? ★[감정사]

○ 기존 싱글 트롤리형(Single Trolley) 컨테이너 크레인 : 1개의 트롤리가 선박의 컨테이너를 양하, 적하하는 방식

○ 듀얼 트롤리형(Dual Trolley) 컨테이너 크레인 : 중앙부분에 컨테이너 버퍼(Buffer)공간을 두고 2개의 트롤리가 전체 작업거리를 분담하는 형식이다. 버퍼하역작업이 추가로 발생하며 버퍼공간의 크기에 따라 트롤리간의 작업 간섭이 발생될 수 있다.

○ 더블 트롤리형(Double Trolley) 컨테이너 크레인 : 2개의 트롤리가 독립적으로 하역하는 작업방식을 취하고 있다. 이 크레인은 붐 섹션(Boom section)을 2층 구조로 설계하여 트롤리의 선회시 순환(Rotation)이 가능하도록 되

어 있다.

○ 슈퍼테이너 트롤리형(Supertainer Trolley) 컨테이너 크레인 : 2개의 트롤리와 1개의 트래버서(Traverser)가 장착되어 있으며 2개 트롤리는 해측과 육측에서 수직동작 만으로 컨테이너를 선박 또는 차량에 양 · 적하한다. 반면에 수평이동작업은 트래버서가 전담하여 작업한다.

☞ 21년 감정사면접에서 "더블 트롤리 컨테이너 크레인"에 대해 출제된바 있다

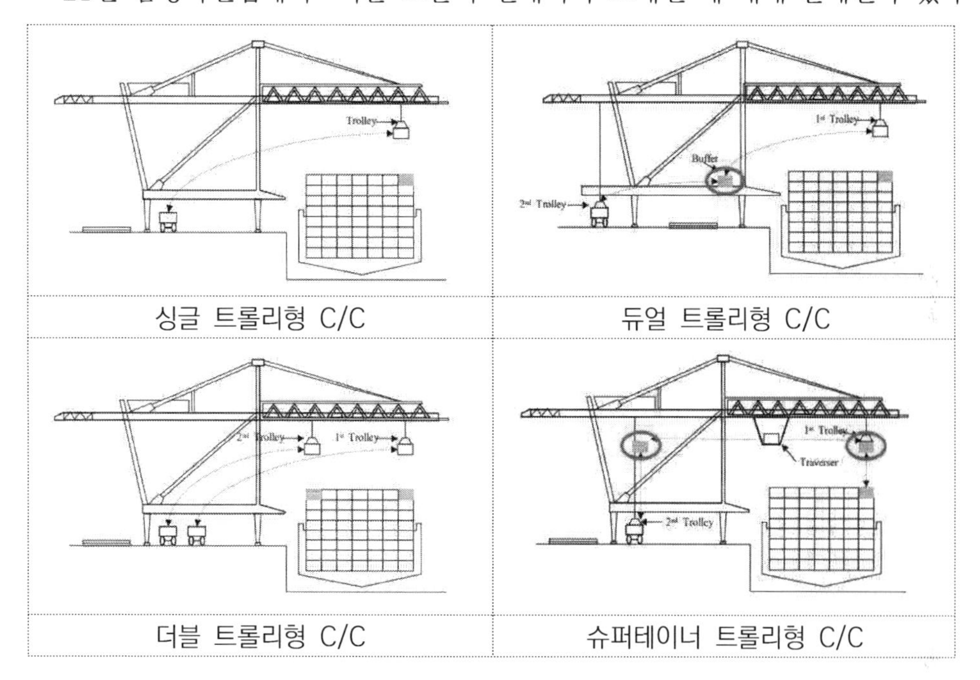

싱글 트롤리형 C/C	듀얼 트롤리형 C/C
더블 트롤리형 C/C	슈퍼테이너 트롤리형 C/C

□ 컨테이너 크레인(C/C)과 트랜스퍼 크레인(T/C)의 차이점은? ★[감정사]

○ C/C는 부두(에이프런)에서 선박에 컨테이너를 적하나 양하시 작업에 사용하는 크레인이고 T/C는 야드(C/Y)내에서 트레일러나 새시 등에 상하차 하는 크레인

※ 컨테이너 크레인 = 포트테이너

* 컨테이너 전용트레일러를 새시(chassis)라고 한다

□ **트렌스퍼 크레인 (T/C)의 이동(주행)방식에 대해 설명하시오?**★[검수사]

○ 트랜스퍼 크레인은 이동(주행)방식에 따라서 2가지로 구분한다.

1) RTGC(Rubber tired gantry crane) : 타이어 방식

2) RMGC(Rail mounted gantry crane) : 레일방식

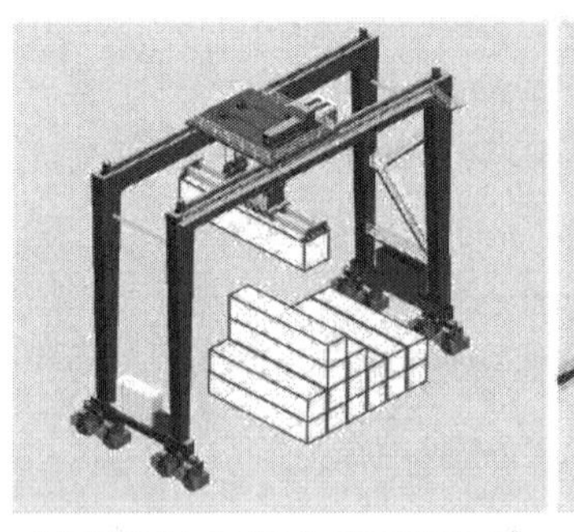

RTGC(Rubber Tired Gantry Crane)

RMGC(Rail Mounted Gantry Crane)

□ **RMQC에 대해 설명하시오?** ★[검수사]

○ Rail Mounted Quayside Crane

○ 컨테이너 크레인의 주행방식으로 부두의 안벽에 설치되어 에이프런(apron)에서 선박과 평행하게 주행하는 방식이다.

□ **컨테이너 크레인, 즉 갠트리크레인의 방식의 종류는?** ★[감정사]

① 싱글 리프트(한번에 20ft 또는 40ft 컨테이너 1개를 들어 올리는 방식)

② 트윈 리프트(한번에 20ft 컨테이너 2개를 들어 올리는 방식)

③ 탠덤 리프트(한번에 20ft 컨테이너 4개 또는 40ft 컨테이너 2개를 들어 올리는 방식)

[Single lift] [Twin lift] [Tandem lift]

예 상 문 제

□ 육상의 하역설비를 설명하시오?

1) 수평 인입식 크레인(LLC), 2) 브릿지 타입 크레인(BTC), 3) 연속 하역기기(CSU), 4) 컨테이너 크레인(C/C)(=갠트리크레인), 5) 스태커-리클레이머(S/R) 6) 벨트 컨베이어

※ (LLC) Level Luffing Crane, (CSU) Continuous Ship Unloader

□ 이동형 컨테이너 하역장비에 대해 설명하시오?

1) 리치 스택커(reach stacker), 2) 스트래들 케리어(straddle carrier)
3) 탑 핸들러(top handler)

[Reach stacke] [Straddle carrier] [Top handler]

□ 쉽테이너(Shiptainer)는 무엇인가?

○ 컨테이너용 크레인을 본선에 설치한 것을 말함

○ 일반적으로 선박 교형 주행 크레인은 육상의 컨테이너 전용 갠트리 크레인을 포트테이너(Port-tainer)라 부르는 것과 비교하여 쉽테이너(Ship-tainer)라고 하기도 하며, 갑판 위의 선수에서 선미쪽으로 양쪽 현에 레일을 깔고 그 위를 크레인이 움직이면서 작업을 할 수 있는 크레인을 지칭한다.

□ OHBC에 대해 설명하시오?

○ Over Head Bridge Crane

○ 야드에 교량형식의 구조물에 크레인을 설치하여 컨테이너를 양적하하는 장비

□ **캔트리크레인에서 SWL은 무엇을 말하는가?**

○ 안전사용하중(=제한하중)이며 Safety Working Load

□ **선박안선법령상 데릭형 하역설비의 제한하중이 40톤일 때, 하중시험의 시험하중과 데릭 붐의 수평면에 대한 각도는?**

○ 45톤, 25도 이다.

○ 제한하중이 20톤 이상~50톤 미만일 경우 시험하중은 제한하중에 5톤을 가한 하중이며 제한하중이 10톤 이하의 경우 붐의 앙각을 15°, 10톤 초과하는 경우 붐의 앙각을 25°로 하여 정상작동 상태 확인한다.

제한하중	시험하중
20톤 미만	제한하중의 1.25배의 하중
20톤 이상 ~ 50톤 미만	제한하중에 5톤을 가한 하중
50톤 이상 ~ 100톤 미만	제한하중에 1.1배의 하중
100톤 이상	해양수산부장관이 적당하다고 인정하는 하중

□ **크레인을 이용하여 컨테이너를 하역하는 방법에 대해 설명하시오 ?**

○ 선박에 설치된 데릭과 크레인을 이용하는 하역

○ 육상에 설치된 컨테이너 크레인 및 수평 인입식 크레인(LLC)을 이용하는 하역

○ 선박에 설치된 쉽테이너(Ship-tainer)를 이용하는 방법

□ **컨테이너 부두에서 이용되고 있는 장비를 설명하시오?**

1) 육상의 하역장비 : 컨테이너 크레인(C/C)(=갠트리 크레인), 트랜스퍼 크레인, 수평 인입식 크레인(LLC) 등
2) 이동형 하역장비 : 리치 스택커(reach stacker), 스트래들 케리어(straddle carrier), 탑 핸들러(top handler), 새시 등
3) 선박용 하역장비 : 쉽테이너(Shiptainer)

□ **스프레더(Spreader)에 대해 설명하시오?**

○ 스프레더는 컨테이너에 부착되어 사용되는 장치이며 컨테이너와 크레인 사

이에서 동작된다. 컨테이너의 적하, 양하에 사용된다.

○ 스프레더는 컨테이너 크레인은 물론 리치 스태커, 스트래들 케리어등 이동형 하역장비에도 부착하여 사용가능 하다.

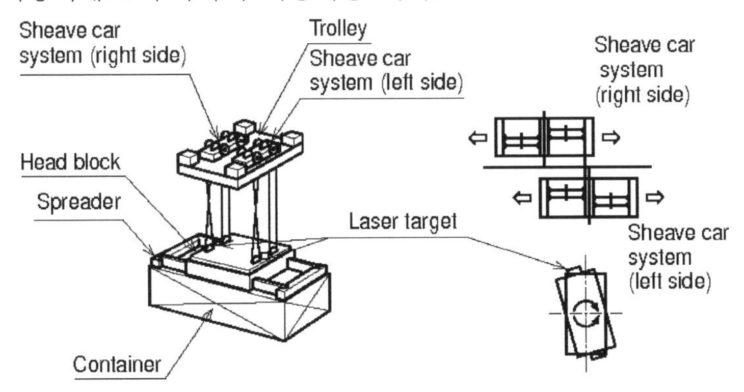

[스프레더와 주변 장치]

□ **스프레더(Spreader)의 주요동작에 대해 설명하시오?**

○ Twist lock : 하나의 컨테이너 마다 4개의 핀이 잠겨야 스프레더가 권상, 권하가 동작된다. 핀은 콘이라고 불리기도 하며 컨테이너의 끝단을 잠그는 역할을 한다.

○ Twin motion : 20피트 컨테이너 두 개를 동시에 한번의 동작으로 이동시킬 수 있는 기능

○ Flipper motion : 스프레더가 정확하게 컨테이너의 트위스트 핀자리를 잡아주는 가이드 역할을 수행한다. 물갈퀴처럼 생겨서 flipper라고 하고 현장에서는 '후리빠'라고 한다.

○ Telescoping motion : 스프레더 신장/신축이라고 불린다. 20피트 컨테이너 작업을 하다 40피트나 45피트짜리 컨테이너 처리를 하기 위해 필요한 동작이다.(접이용 망원경처럼 늘었다 줄였다 할 수 있다고 해서 유래)

○ Tilting(TLS) motion : 선박에 있는 컨테이너라든지 트랙터에 의해 운반되어진 컨테이너가 반듯이 정확하게 놓여있지 않기 때문에 스프레더의 기울임 동작에 의해 트위스트 락 기능을 유지하기 위한 기능, T(Trim), L(List), S(Skew)

□ 선내작업의 종류에 대해 설명하시오?

○ 선내의 화물을 부선내 또는 부두위에 내려놓고 훅을 풀기전까지의 작업을 선내 양하작업이라 하고

○ 부두위에 훅이 걸어진 화물을 본선내에 적재하기까지의 작업을 선내 적하작업이라 함

□ 컨테이너 크레인의 아웃리치와 백리치에 대해서 설명하시오?

○ 아웃리치(Out reach) : 컨테이너 안벽 크레인의 스프레더가 바다측으로 최대 진행되었을 때, 크레인 바다측 레일 중심에서 스프레더 중심까지의 거리를 나타낸 것을 말함

○ 백리치(Back Reach) : 컨테이너 안벽 크레인의 스프레더가 육지쪽으로 최대 진행되었을 때, 크레인 육지측 레일 중심에서 스프레더 중심까지의 거리를 나타낸 것을 말함

※ Rail span : 갠트리 크레인의 레일간의 간격(Span)(해상쪽~육상쪽)을 말한다.

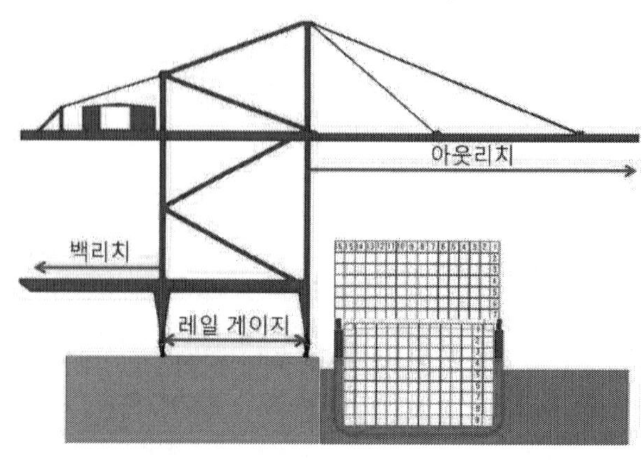

제10장. 해양오염방제와 피해보상

○ 제10장은「감정사」시험범위에만 해당한다.

○ 본 장은 본서의 마지막 장으로 앞에서와 같은 선박이나 화물, 운송에 관련된 내용이 아니라 해상사고로 인하여 기름이 유출되었을 경우 피해와 관련된 내용이다. 감정사의 업무 영역인 오염 피해 범위·정도 조사, 피해보상 비용 산정을 위해 알아야 하는 국제협약이나 합리적 방제방법에 대한 내용이다.

○ 해양오염사고 현장 근무경력이 없으면 이해하기 어려운 부분도 있지만, 2007년 태안에서 발생한 유조선 "허베이 스피리트호" 오염사고 사진 등을 인터넷으로 찾아보면 방제에 관한 이해를 높일 수 있을 것이다.

○ 방제방법에 대한 이해는 기름이 해상에 유출되었을 때의 경시변화에서 출발하므로 기출문제는 아니지만 예상문제 부분의 유출유 풍화과정에 대한 설명은 숙지하고 시작하도록 한다.

○ 또한 유조선 사고로 인한 해양오염에 대해서는 천문학적 피해비용을 선주가 전부 지불하는 것이 아니라 국제협약을 통해 책임제한을 두고 있는데, 이들 국제협약에 어떤 것들이 있으며 필요에 의해 어떤 변천 과정을 겪었는지도 이해한다.

※ Key Word : 92CLC, 92FC, P&I보험, 유출유, 방제방법, SDR

기 출 문 제

□ 해양오염 사고시 응급(초동) 방제조치 사항에 대해 설명하시오?

★[감정사]

○ 오염사고가 발생한 경우, 해양환경관리법 규정에 의하여 방제조치를 하여야 할 자(사고행위자 또는 방제의무자)는 1) 오염물질의 배출방지조치, 2) 배출된 오염물질의 확산방지 및 제거 및 3) 배출된 오염물질의 수거 및 처리등의 방제조치를 하여야 하며 필요시 방제대책본부에 참여하여 방제작업계획에 관한 관계기관과 유기적으로 협조하여야 한다.

* 오염물질 : 해양에 유입 또는 해양으로 배출되어 해양환경에 해로운 결과를 미치거나 미칠 우려가 있는 1) 폐기물, 2) 기름, 3) 유해액체물질, 4) 포장유해물질을 말한다. 감정사 시험에서는 오염물질을 기름유출사고로 간주하는 경향이 있다.

○ 해양경찰청장은 방제의무자가 자발적으로 방제조치를 행하지 아니하는 때에는 그 자에게 시한을 정하여 방제조치를 하도록 명령할 수 있다.

○ 해양경찰청장은 방제의무자가 방제조치명령에 따르지 아니하는 경우에는 직접 방제조치를 할 수 있다.

○ 해양경찰청장은 방제의무자의 방제조치만으로는 오염물질의 대규모 확산을 방지하기가 곤란하거나 긴급방제가 필요하다고 인정하는 경우에는 직접 방제조치를 하여야 한다.

1) 해안의 자갈·모래 등에 달라붙은 기름에 대하여는 해당 지방자치단체의 장 또는 행정기관의 장이 방제조치를 하여야 한다.
2) 군사시설과 그 밖에 대통령령으로 정하는 시설이 설치된 해안에 대한 방제조치는 해당 시설관리기관의 장이 방제조치를 하여야 한다.

□ 해양유류(기름)오염 사고의 방제방법 결정과 선택시 고려해야할 사항에 대해 설명하시오?

★[감정사]

○ 해양경찰청장(방제총괄기관)은 해양오염사고 발생시 입수된 모든 정보와 현장상황을 참작하여 1) 배출방지조치, 2) 배출감소조치, 3) 배출된 기름의 확산방지조치, 4) 배출된 기름의 이동 · 확산감시, 회수 및 수거조치, 5) 유처리제 사용에 민감한 해역보호조치, 6) 현장소각 등 여러 가지 대응방법들을

활용한 최선의 방제방법을 선택해야 한다.

○ 이러한 방제방법을 선택하기 위하여 필요시 '지역방제대책협의회' 및 '방제기술지원협의회'의 의견을 수렴할 수 있다. 방제방법 선택시 고려사항은 다음과 같다.

1) 가능한 배출원(사고 선박 또는 해양시설)으로 부터의 기름 배출의 방지 또는 감소를 위하여 밸브 및 에어벤트(air vent)의 봉쇄, 좌우현 경사의 조정, 손상탱크내 기름의 선내 다른 탱크 또는 외부로 이적 등 필요한 조치

2) 배출원 주위에 오일펜스(oil fence, oil boom)를 설치하여 기름의 확산방지 및 양식장 등 민감해역에 기름유입을 차단하기 위한 보호조치

3) 방제작업선, 유회수기 등을 이용한 기계적회수, 유흡착재·유겔화제 등을 이용한 물리적 회수조치, 유처리제에 의한 생화학적 분산처리 등 상황에 따라 가장 효과적인 방법을 선택 사용

4) 유처리제는 수심, 어장·양식장 분포 등 해역특성을 고려하여 사용

5) 기름이 외해로 흘러가서 연안자원이 위협받지 않거나 우려가 없는 경우 해상유출유의 이동 및 변화과정 모니터링

* 기름과 유류 : 일반적으로 기름과 유류는 같은 뜻으로 사용되고 있으나 엄밀한 법적 의미는 서로 다른 개념이다. 기름이라 함은 「해양환경관리법」 제2조(정의)에서 「석유 및 석유대체연료 사업법」에 따른 원유 및 석유제품(석유가스를 제외)과 이들을 함유하고 있는 액체상태의 유성혼합물(액상유성혼합물) 및 폐유를 말한다 라고 정의되고 유류란 「유류오염손해배상법」 제2조(정의)에서 선박에 화물로서 운송되거나 선용유(船用油)로서 사용되는 원유, 중유 및 윤활유 등 지속성 탄화수소광물성유로서 대통령령으로 정하는 것을 말한다. 즉 중질유 이상을 유류란 칭하고 있다.

* 지역방제대책협의회 : 오염지역에서 원활한 방제협력과 지원 등을 위하여 해양경찰서장으로 하여금 해당지역을 관할하는 관계기관의 소속공무원, 유관단체·업체의 임직원 및 주민대표 등으로 지역방제대책협의회를 구성·운영하게 할 수 있다.(해양환경관리법시행령)

* 방제기술지원협의회 : 방제대책본부장(해양경찰청장)은 해양환경보전과 과학적인 방제를 위한 기술지원 및 자문을 위하여 관계전문가로 구성된 방제기술지원협의회를 구성·운영할 수 있다. 해양환경관리법시행령에 근거하고 있다.(08년에 '방제기술지원단'에서 '방제기술지원협의회'로 변경)

□ **기름이 해상에 유출된 경우 처리 방법은?** ★★[감정사]

○ 먼저 방제방법을 결정한다. 해상에 유출된 기름의 방제조치는 1) 배출된 오염물질의 종류와 유출량, 2) 배출장소 및 확산상태, 3) 해상기상상태, 4) 배출물질의 변화상태 등을 파악하여 위험도를 종합 분석하여 적합한 방제방법을 선택하여 실시한다.

○ 오일펜스 등을 이용하여 현장상황에 따라 포위, 폐쇄, 유도전장 등을 통해 유출유 확산을 방지하고

○ VOSS형 방제선이나 오일펜스와 유회수기를 연계하여 유출유를 회수하거나 유흡착재를 사용하여 해상유출유를 흡착 · 흡유한다.

* VOSS : Vessel of Opportunity Skimmer System

○ 유처리제 사용에 따른 환경에 미칠 영향을 비교 · 검토하여 빠른 시간내에 유처리제 사용여부를 결정한다. 유처리제는 기름을 분산시켜 해수의 자연분해작용을 촉진시켜주는 역할을 한다.

○ 해상의 엷은 유막은 별도의 방제조치가 불필요하여 자연방산처리를 유도한다.

□ **기름이 해안에 부착된 경우 처리 방법은?** ★★[감정사]

○ 유출된 기름이 해안으로 밀려와 부착되는 경우 해안의 특성에 따라 오염상태와 방제조건이 다르므로 조건에 맞는 방제방법을 선택해야 한다.

○ 해안의 종류는 1) 암반, 왕자갈, 인공구조물 해안 2) 큰자갈, 조약돌, 잔돌로 구성된 해안 3) 모래해안 4) 갯벌 해안 등으로 구분할 수 있고 각각의 해안에 적합한 방제방법을 사용한다.

○ 해안의 종류별 방제단계는 크게 3단계로 구분하고 제1단계는 두껍게 고인 기름을 기계적 장비, 펌프 등을 이용하여 회수하는 단계이고 제2단계는 장소에 따라 고압세척기 등을 이용하여 표면에 묻은 기름을 제거, 회수한다. 제3단계는 모래해안의 경우 잔류하는 기름을 갈아엎기, 해변청소기, 물뿌리기 방법으로 모래와 기름을 분리하여 기름을 제거, 회수하는 방법이다.

○ 갯벌과 습지대의 경우에는 오염제거 활동이 더 큰 피해를 줄 수 있으므로 직접적인 장비투입보다는 자연방제를 고려한다.

□ 해안방제방법에 있어 물리적 제거방법 5가지 이상 설명하시오?

★★[감정사]

1) 트랜칭(Trenching) : 도랑을 파서 하부층에 스며든 기름을 제거하는 방법
2) 플러딩(Flooding) : 상온수로 기름을 범람시켜 회수장소에 모으는 방법
3) 기계적 틸링(Mechanical tilling) : 오염된 해안표면 및 하부층을 로더, 그레이더 등과 같은 중장비를 이용하여 모래사장 등을 파서 공기에 노출시킴으로서 증발 및 기타 자연적 분해를 가속화시키는 방법
4) 파도세척(Surf washing) : 기름을 파도와 같은 에너지에 노출시켜 자연적 분해를 가속화 시키는 방법으로 땅을 고르는 장비를 사용하여 기름이 파도의 운동이 심한 장소로 이동시켜 제거하는 방법
5) 진공펌프에 의한 제거 : 해안표면 및 웅덩이에 고여 있는 기름을 진공펌프로 흡유하여 제거하는 방법
6) 저압냉수세척(Low-pressure, Cold water wash) 하부층이나 인공고형물에 표착된 기름, 표면에 고여 있는 기름 및 초목에 갇혀져 있는 기름에 저압으로 상온수를 분출시켜 일정한 장소에 모으는 방법
7) 저압온수세척(Low-pressure, Warm water wash) 해안에 표착된 기름에 저압으로 온수를 분출하여 일정한 장소에 기름을 모으는 방법. 주로 저압냉수 세척법으로 제거되지 않는 기름을 이동시키거나 분출시키는데 이용됨
8) 고압냉수세척(High pressure, Cold water wash) 상온해수를 이용하여 오염된 암반해안이나 인공고형물에만 제한적으로 이용하여야 하며 고압수는 해양생물에 피해를 입힐 수 있음에 유의
9) 고압온수세척(High pressure, Warm-hot water wash) 30-100℃로 가열된 해수를 이용하여 인공고형물에만 사용해야 하며 고온 고압수에 의해 해양생물에 피해를 입힐 수 있음에 유의해서 사용
10) 기타 상황에 따라 초목벌채, 소각, 스팀세척, 샌드 블라스팅 등을 사용 할 수 있음

□ 인화점(Flash Point) 이란? ★[감정사]

○ 가연성 기체와 공기가 혼합된 상태에서 직접적인 점화원에 의해 불이 붙을 수 있는 가장 낮은 온도 또는 연료를 천천히 가열하였을 때 유증기가 발생되는 기름의 최저온도

※ 연소점(Fire Point) : 연소상태에서 점화원을 제거하여도 자발적으로 연소가 지속되는 온도 또는 자력에 의해 연소를 지속할 수 있는 최저온도

※ 발화점(Ignition Point) : 점화원을 가하지 않아도 스스로 착화 될 수 있는 최저온도로서 외부에서 가해지는 열에너지에 의해 스스로 타기 시작하는 온도

※ 온도가 높은 순서로는 발화점 〉 연소점 〉 인화점 이다.

□ **P&I 보험을 설명하고 보상의 범위에 대해 설명하시오?** ★[감정사]

○ Protection(보호) & Indemnity(보상) Club, 선주상호보험조합

○ 선박운항중 발생한 해난사고 등으로 인하여 제3자가 입은 피해에 대한 법적 배상책임을 선주상호간에 담보하는 보험을 말함

○ 보상의 범위(18가지) : ① 선원의 부상, 질병 및 사망 ② 선원을 제외한 제3자에 대한 배상책임 ③ 선원의 송환 및 교대선원 파견비용 ④ 난파휴업급여 ⑤ 선원의 유실물 보상 ⑥ 이로에 따른 비용/책임 ⑦ 밀항자 및 난민에 관한 보상 ⑧ 인명구조 ⑨ 타선과의 충돌로 인한 배상책임 ⑩ 항만, 부두, 방파제 등의 고정물, 부유물에 대한 배상책임 ⑪ 오염에 따른 배상책임 ⑫ 예인계약상의 배상책임 ⑬ 난파선제거비용 및 배상책임 ⑭ 검역을 하기 위하여 소요된 비용 ⑮ 운송화물의 멸실, 훼손에 대한 배상책임 ⑯ 본선에 선적된 화물에 대한 충돌배상책임 ⑰ 공동해손분담금중 화물 또는 선박에 대한 부분 ⑱ 벌금

□ **92CLC와 92FC에 대해서 설명하시오?** ★★★[감정사]

○ 92CLC(Civil Liability Convention)는 1992년에 제정된 "유류오염손해에 대한 민사책임에 관한 국제협약"이며 92FC(Fund Convention)는 "유류오염손해 보상을 위한 국제기금의 설치에 관한 국제협약"이다.

  * 92CLC : International Convention on Civil Liability for Oil Pollution Damage 1992

  * 92FC : International Convention on the Establishment of an International Fund for Compensation for Oil Pollution Damage

○ 유조선에 의한 유류오염사고의 경우에 있어서 피해의 배상과 관련된 국제협약으로는 92CLC와 92FC가 있다. 피해보상과 관련된 1차적 제도가 1992 CLC(8,977만 SDR)라면 이를 보완하는 2차적 제도가 1992 FC(20,300만

SDR)이다. 이런 협약들을 국내입법화 한 것이 「유류오염손해배상보장법」이다.

○ (92CLC의 성격) : 1차적 피해배상제도. 유조선, 이동용 유조부선, 부유식 해상구조물인 유류저장부선도 적용. 유류란 지속성 탄화수소광물유이므로 지속성 유류(휘발유, 경유는 제외)에만 적용되며 유류 2,000톤(국내 200톤) 이상을 운송하는 유조선 소유자는 손해배상 책임의 이행을 확실하게하기 위하여 자신의 책임한도액까지 책임보험에 가입하여야 함. 통상 선주상호보험조합(P&I)의 보험에 가입한다.

○ (92FC의 성격) : 유류오염손해가 발생한 경우에 92CLC에 따라 배상되지 아니한 손해가 있는 경우 이를 보상하기 위하여 92FC가 적용된다. FC의 재원은 하주측인 석유업계가 분담하여 기금을 구성하도록 되어 있고 이 기금을 운영하기 위하여 '1992년 국제유류오염 보상기금(IOPC Fund)이 설치되어 있다.

○ IOPC Fund의 보상액에 대한 실효성이 문제되자 IMO에서 "1992년 유류오염손해의 보상을 위한 국제기금의 설치에 관한 국제협약에 대한 2003년 의정서"를 채택하여 보상한도를 7억5천만 SDR(1조 2천억원)까지 상향하였다.

□ **1992CLC 협약에 대해 설명하시오?** ★★[감정사]

○ 92CLC(Civil Liability Convention)*는 1992년에 제정된 "유류오염손해에 대한 민사책임에 관한 국제협약"이다.

* International Convention on Civil Liability for Oil Pollution Damage 1992

○ 유조선에 의한 유류오염사고의 경우에 있어서 피해의 배상과 관련된 국제협약으로는 92CLC와 92FC가 있다.

○ 피해보상과 관련된 1차적 제도가 1992CLC라면 이를 보완하는 2차적 제도가 1992FC이다. 이런 협약들을 국내법으로 입법화 한 것이 「유류오염손해배상보장법」이다.

○ 적용대상 : 지속성 유류에 적용되며 유류 2,000톤(국내 200톤) 이상을 운송하는 유조선, 유조부선 등 소유자는 손해배상 책임의 이행을 확실하게 하기 위하여 자신의 책임한도액까지 책임보험에 가입하여야 함. 통상 선주상호보험조합(P&I)의 보험에 가입한다.

○ 유조선 소유자의 책임한도액은

1) 총톤수 5,000톤 이하의 유조선 : 451만 SDR

2) 총톤수 5,000톤을 초과하는 유조선 : 451만 SDR에 초과하는 매 톤당 631 계산단위를 더함. 다만 8천977만 SDR를 초과할 수 없다.

□ IOPC Fund란? ★[감정사]

○ International Oil Pollution Compensation Fund의 약자이며 "국제유류오염보상기금"이라고 한다.

○ 유조선에 의한 유류오염사고 발생시 민사책임협약에 의한 배상금을 초과한 경우 이를 보상하기 위해 화주측 석유업계* 등이 분담하여 만든 기금으로 민사책임협약 체약국만이 동 기금의 체약국이 될 수 있음

 * 기금납부자는 해상수송으로 연간 15만톤 이상의 유류수령자 : Sk, GS-Caltex, S-Oil, 현대정유, 한국전력, 석유공사

○ IOPC FUND(국제유류오염보상기금)는 유조선 사고로 기름이 유출돼 해양오염사고를 일으켰을 경우 입은 피해를 보상해 주는 IMO 산하 국제기구이다.

○ IOPC는 "1992기금(92 FC)"과 한 "2003추가기금(SFP 2003)*"으로 구성되어있다.

 * SFP 2003 : The Supplement Fund Protocol : 추가기금 의정서

□ 92 민사책임협약(CLC)상 유류오염손해에 관한 유조선 선박소유자의 면책사유를 설명하시오? ★[감정사]

○ 선박소유자가 다음사항에 해당함을 입증하는 경우에는 오염손해에 대한 어떠한 책임도 그에게 귀속되지 아니한다.

1) 전쟁행위, 적대행위, 내란, 폭동 또는 예외적으로 불가피한, 불가항력적인 자연현상으로부터 발생한 경우

2) 제3자에 의하여 손해를 야기 시키려는 의도를 가지고 행하여진 작위(作爲) 또는 부작위(不作爲)에 전적으로 기인한 경우

3) 등대 또는 기타 항행보조시설의 유지를 책임지고 있는 정부 또는 기타 기관의 직무수행에 있어서의 부주의 또는 기타 부당한 행위에 전적으로 기인하는 경우

※ 92 기금협약(92FC)이 유류오염손해에 대한 보상의무를 부담하는 경우와 부담하지 않는 경우

1) 국제기금이 부담하는 경우 : 국제기금은 오염손해를 입은 자가 다음과 같

은 이유 때문에 손해에 대하여 1992년 책임협약의 규정에 따라 충분하고 적절한 보상을 받을 수 없는 경우, 그 오염피해자에게 보상금을 지불한다.

① 92년 민사책임협약 상으로는 손해에 대한 책임이 발생하지 않는 경우

* 14년 여수 ○○○○○정유사 송유관과 원유선 W호 충돌사고의 경우 원유가 원유선인 W호에서 유출되지는 않았고 해양시설에서 유출되었다. 이런 경우 원유선은 민사책임협약상 배상책임이 발생하지 않고 해양시설에서 가입한 보험에서 1차 배상을 하고 보상범위를 넘어서는 금액에 대해 피해자들에게 국제기금에서 보상해 준다는 의미

② 92년 민사책임협약에 따라 손해에 대하여 책임이 있는 소유자가 재정적으로 그의 의무를 충분히 이행할 능력이 없어 책임협약에 따른 보상금의 전액을 받을 수 없는 경우

* 유류(지속성유)를 산적한 유조선이 P&I 보험에 가입하지 않거나 선주가 자력으로 배보상이 불가한 경우 민사책임에서 지급을 하지 못하므로 국제기금에서 직접 피해보상금을 지급한다.

③ 유류오염손해가 민사책임협약(92 CLC)상의 유조선선주의 책임한도액을 초과하는 경우

2) IOPC FUND에서 보상의무를 부담하지 않는 경우

① 오염손해가 전쟁, 적대행위, 내란 또는 반란 때문에 초래되었거나, 군함 또는 국가가 소유하고 이용하면서 사고발생 당시 정부가 비상업용 용도로만 사용하던 그 밖의 선박으로부터 유출 또는 배출된 유류 때문에 발생하였음을 기금이 입증하는 경우

② 손해가 1척 또는 그 이상의 선박이 관련된 사고로 부터 초래되었음을 청구권자가 입증할 수 없는 경우

☞ 92민사책임협약과 92기금협약의 차이점을 이해하여야 한다.

□ 기름오염사고에 대비하기 위하여 유조선사에서 가입하는 보험의 이름?

★[감정사]

○ 통상 선주상호보험조합(P&I)의 보험에 가입한다.

○ 92CLC협약과 유배법에서는 유류 2,000톤(국내 200톤) 이상을 운송하는 유조선 소유자는 손해배상 책임의 이행을 확실하게 하기 위하여 자신의 책임한도액까지 책임보험에 가입하여야 한다.

□ SDR에 대해 설명하시오? ★[감정사]

○ Special Drawing Right의 약자이며 국제통화기금의 특별인출권을 말한다.

○ 특별인출권이란 IMF(국제통화기금 ; International Monetary Fund) 회원국의 재정이 악화되었을 때 담보 없이 IMF로부터 자금을 인출할수 있는 권리를 말하며 통화 대비환율은 수시변동되어 IMF가 매일 고시한다

○ 92CLC, 92FC, SFP 2003등에서 피해 배보상 금액 단위를 SDR로 쓰고 있다.

○ 허베이 스피리트호 사고 관련 국제기금 보상한도액(3,216억원)이 정해진 날 (08.3.13기준)의 환율은 1SDR=1,584원이었다.

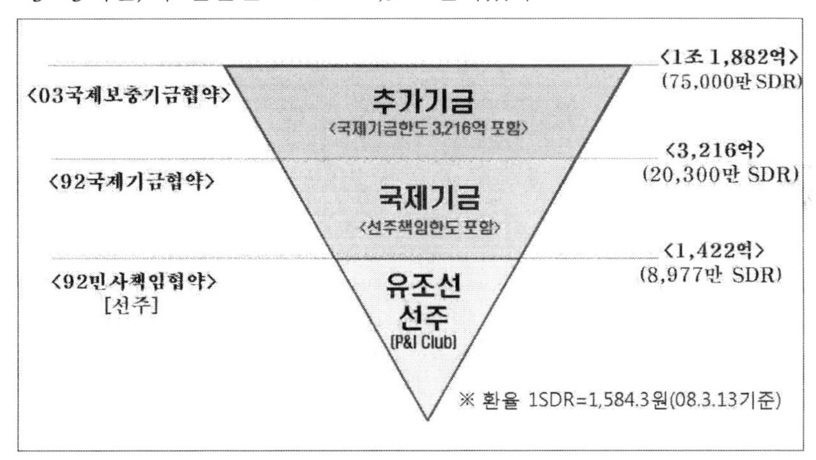

□ Droplet Calculation 이란? ★[감정사]

○ SDR의 실제 화폐 가치를 계산하는 방법을 Droplet Calculation이라고 한다.

○ SDR은 국제통화기금(IMF) 특별인출권 통화 바스켓을 줄여 부르는 말로써 그 자체가 시장에 유통되는 화폐는 아니나 SDR을 보유한 국가(중앙은행)는 필요할 경우 별도 담보 없이 기축통화를 인출할 수 있는 권리를 가지기 때문에 각 국 중앙은행에서는 일정 수준의 SDR을 비축하고 있다.

○ 현재 SDR을 구성하는 기축통화는 달러, 유로, 파운드, 엔, 위안의 5가지이며 IMF(국제통화기금)에서 각 통화별 편입비율과 변동환율을 고려해 매일 SDR이 가지는 실제 화폐가치를 산출식을 공개하고 있다.

○ 이때, 이 산출식을 이용해 SDR의 실제 가치를 산출하는 과정을 Droplet Calculation 라고 칭한다. 참고로 현재 IMF 공시 산출식에 따른 1 SDR의 가치는 우리 돈 약 1,600원 정도이다.

□ **우리나라 영해의 범위는?** ★[감정사]

○ 기선으로부터 12해리까지 이다.

○ 기선은 해수면이 가장 낮은 썰물 때의 해안선인 최저저조선으로부터 거리를 측정하는 것이 원칙이지만, 해안선의 굴곡이 심하고 연안에 섬이 많을 경우 외측의 돌단부(툭 튀어나온 끝 부분)와 섬들을 직선으로 연결한 선을 기선으로 정한다.

○ 우리나라는 동해안의 경우 '저조선'이 영해의 기준인 통상기선이 되며, 서해안과 남해안인 많은 섬들로 인해 해안선이 복잡하므로 가장 외각의 섬들을 이어서 직선기선을 설정하고 있다.

□ **No cure No pay 원칙의 예외조건?** ★[감정사]

○ 해난구조에 있어 불성공 무보수 원칙을 말한다.

○ 해난구조에 있어서 구조작업에 성공한 경우에만 구조료를 지불하고 성공하지 못하면 어떠한 지불도 하지 않는 원칙을 말함

○ 해난구조의 장려차원에서 구조자에게 유리하게 해석되어야 하나 구조를 가장한 폐해를 피하기 위해 구조가 성공하지 못한 경우에는 구조자가 아무리 많은 희생을 지급하여도 구조료 청구권이 발생하지 않는다. 이것이 바로 구조결과가 없으면 보수는 없다는 원칙임

○ 하지만 1968년 토조마루[4] 사고 이후에 구조활동중에 조난선에서 유출되는 기름에 의한 해양오염을 방지 또는 최소화하는 노력을 고려하여 1989년 국제해난구조협약에서는 구조의 성공여부에 관계없이 해양오염방지비용에 대하여 특별보상제도를 인정하고 있다.

○ 이로 인하여 불성공 무보수 원칙이 수정되었으며 상법도 개정을 통해 환경손해방지를 위한 노력을 참작하여 구조료를 결정하도록 하여 불성공 무보수 원칙을 수정하였다.

---

4) 1968년 페르시아만에서 25,000톤의 유류를 적재한 토조마루호가 피나 이탈리아호와 충돌한 사고

예 상 문 제

□ **해양환경관리법에서 오염물질이란 무엇인가?**

○ "오염물질"이라 함은 해양에 유입 또는 해양으로 배출되어 해양환경에 해로운 결과를 미치거나 미칠 우려가 있는 1) 폐기물, 2) 기름, 3) 유해액체물질, 4) 포장유해물질을 말한다.

* 근거 : 해양환경관리법 제2조(정의) 11호

□ **유류오염에 의한 해양생태계의 피해를 설명하시오?**

○ 유출된 기름이 해양생물들에게 미치는 영향은 유출사고 초기의 직접적인 생물피해와 사고후 수개월 또는 수십년에 걸친 장기적인 생태계 피해로 나눌 수 있음.

○ 직접적인 해양생물 피해는 물리적 효과와 생리적 효과로 나눌 수 있음.

1) 물리적 효과 : 질식이나 접촉으로 조류의 대량폐사나 어패류의 질식사 등을 유발하는 것으로 원유나 벙커유와 같은 고점도유의 경우 기름과의 직접 접촉에 의한 질식 등 물리적 피해가 가장 심각하다. 해양조류들의 유류에 의한 접촉으로 익사하거나 보온력을 잃어 치사하게 됨

2) 생리적 효과 : 주로 방향족 탄화수소의 생물대사작용 방해에 의해 일어난다. 기름의 독성은 성분의 용해도와 밀접한 관계를 가지고 있다. 벤젠과 톨루엔 등 저분자량의 방향족탄화수소들은 수중에 잘 용해되며 독성이 높아 직접적인 치사효과를 유발한다. 수중의 용해도가 큰 저분자량의 탄화수소들은 경질유 일수록 많이 함유되어 있기 때문에 휘발유나 경유 등 경질연료유의 유출사고는 중질유의 유출사고보다 훨씬 심각한 오염피해를 유발할수 있음.

○ 장기적인 생태계 피해로는

1) 유출된 유류는 방제 및 정화작업을 통하여 일부분은 해양환경으로부터 제거되지만 대부분은 복잡한 풍화과정을 거치면서 환경내에 잔류하여 각종 해양생물들에게 영향을 끼치게 됨

2) 자연분산되거나 유처리제에 의해 분산처리된 기름은 수중으로 확산되어 미세한 유적의 형태로 존재하면서 일부는 유류분해 미생물에 의해 분해되고,

난분해성물질들은 해양환경내에 오랜 기간 동안 잔류하게 된다. 또한 에멀젼이 형성되거나 타르볼의 형태가 된 기름들은 덩어리의 형태로 분해되지 않고 바다속에 남아서 장기적인 영향을 미치게 됨

3) 기름속에는 독성을 가진 방향족탄화수소가 다량 포함되어 있는데 이러한 물질들은 미생물에 의한 분해속도가 매우 느리거나 거의 분해되지 않기 때문에 퇴적물 속에 잔류하여 만성적인 독성을 나타내게 된다. 이러한 잔류성분 중에서도 다환방향족탄화수소(PAHs)는 환경내에서의 지속성이 크고 발암성을 가지고 있는 물질들이 많음

□ **유출된 기름의 풍화과정에 대해 설명하시오?**

○ 해상에 유출된 기름은 확산, 증발, 용해, 분산, 유화, 광산화, 미생물분해 등 풍화과정(weathering process)을 거치면서 소멸

○ **(확산)** 해상에 유출된 기름은 중력과 해류, 조류, 바람 등 현장의 우세한 해황에 의해 확산되는 현상을 보임

○ **(증발)** 기름이 해면에 확산되면서 비등점 270℃이하의 성분들이 대기 중으로 증발됨. 증발은 유출초기에 가장 활발함. 증발속도는 수온과 기온, 파도가 높으면 증발이 잘 이루어짐

○ **(용해)** 유출유가 해면에서 엷은 유막으로 되면 미세한 작은 방울로 분산되며 해수중에 용해되어 독성을 나타내기도 하며 자연적으로 소멸되어가는 현상. 가벼운 탄화수소 성분은 물에 잘 용해되고 쉽게 증발됨

○ **(분산)** 해면에서의 파도와 난류는 유막에 작용하여 여러 가지 크기의 기름방울들을 만들어 내면서 해수 중에 퍼지게 되며 작은방울들은 현탁상태를 유지하나 큰 방울들은 다시 부상하기도 함

○ **(유화)** 점도가 높은 기름들은 해상에서 풍화되면서 수분을 함유하여 끈적끈적한 갈색의 에멀젼을 형성함. 이를 초콜렛 무스 상태라 하고 부피와 점도가 커져 물리적 수거에 큰 장애가 됨

○ **(침강)** 중질 잔유 중에는 비중이 1보다 커서 담수와 기수(brackish water) 중에 가라앉기도 한다. 원유중에는 밀도가 크거나 풍화잔유물 자체가 해수중에 가라앉은 것도 있다. 그러나 흔히 기름은 퇴적물 입자나 유기물이 부착돼 가라앉게 된다.

○ **(자연소멸)** 해상에 부유하고 있는 기름은 산소와 햇빛에 의해 화학적변화가

일어나 소멸되는 과정을 거치게 됨. 이를 광산화라 함. 또한 해수에 있는 탄소를 에너지원으로 하는 미생물에 의해 분해되어 소멸됨

□ ESI 등급에 대해 설명하시오?

○ ESI(Environmental Sensitivity Index)는 기름유출사고가 발생했을 때 해안선이 가진 방제 작업 수행의 용이성과 해안선에 미치는 환경적 민감도를 지수화하여 평가한 것이다.

○ 우리나라의 ESI 지수는 1) 파도·조석에너지에 대한 상태노출, 2) 해안경사, 3) 기질 유형, 4) 생물학적 생성 및 민감도를 기반으로 아래와 같이 10개 등급으로 평가하였다

* NOAA(2002), IPIECA IMO OGP(2012), 해양경찰청(2014)

등급	예 시
ESI 1	파도에 노출된 수직암석, 해안절벽, 인공구조물, 파식성 직립호안
ESI 2	파도에 노출된 기반암. 완만한 암반 해안, 급경사 퇴적해안
ESI 3	세립질 모래 해안, 파도에 노출된 비탈진 비고형화된 세립질 해안
ESI 4	조립질 모래해안
ESI 5	모래-자갈 혼합해안
ESI 6A	자갈해안, 자갈과 바위로 혼합된 해안 자갈과 바위 사이 투과성 사설
ESI 6B	이음새가 투과성인 방파제·호안
ESI 7	반폐쇄되어 파도가 약한 암석, 자갈, 퇴적물, 인공구조물 해안
ESI 8A	갯벌
ESI 8B	염습지

□ BTEX란 무엇인가?

○ Benzene, Toluene, Ethylbenzene, Xylene을 말함

□ 유처리제 사용제한 기름의 점도는?

○ 유출유의 점도가 2,000cSt(센티스톡크) 이하일 경우 사용 가능한 점도이다.

* cSt ; Centi Stokes

□ 유흡착재의 사용제한 기름농도를 설명하시오?

○ 유출유가 점도 5,000cSt 이상 되면 흡착효과가 없어지며 흡착 가능한 유층은 0.1mm 정도 부터이다.

□ 휘발유(gasoline), 등유(kerosene), 경유(gas oil), 중유(fuel oil)의 비등점(끓는점)은?

○ 석유가스(30℃이하), 휘발유(30~75℃), 등유(165~240℃), 경유(200~270℃), 중유(350℃이상)

□ 원유유출농도에 따른 해양생태 영향을 농도별로 구분하여 설명하시오?

원유농도	해양생태 영향
0.01g/m^3 (10ppb)	플랑크톤 생식장애-어획고 영향 가능
0.02g/m^3 (20ppb)	탄소동화작용 장애
1g/m^3 (1ppm)	바다가재 유충 성장장애
5g/m^3 (5ppm)	새끼 물고기 사멸
10g/m^3 (10ppm)	갑각류 화학장애 발생
12g/m^3 (12ppm)	조개류 영양실조

□ 오일펜스 저장공간이 적어 사용 후 잘 씻어서 포개어 저장하고자 할 때 적당한 오일펜스는?

○ 공기팽창식 오일펜스

□ 부생연료유란 무엇인가?

○ 석유화학공정에서 나프타 및 콘덴세이트(condensate)를 원료로 하여 석유화학제품을 생산하는 과정에서 발생되는 부산물로서 등유나 중유를 대체하

여 주로 보일러(가정용제외) 또는 노(furnace)의 연료로 사용되고 있다.

□ 바이오 디젤(bio diesel)이란 무엇인가?

○ 원유에서 추출한 경유의 대안물로 대두유, 폐식용유, 유채유 등의 식물성 기름과 알코올을 반응시켜 정제한 연료유이다.

○ BD 20은 바이오디젤 20% + 경유 80%를 혼합한 연료이다.

□ 바이오 중유(bio heavy oil)이란 무엇인가?

○ 고기기름이나 폐식용유 등과 같은 동·식물성 유지(油脂) 또는 바이오 디젤 공정 부산물 등을 원료로 제조한 연료유이다.

○ 바이오중유는 미세먼지의 주범으로 꼽히는 황산화물을 거의 배출하지 않아 미세먼지를 28%, 온실가스는 85%가량 줄일 수 있다.

□ 선박의 해양오염방지설비에 대해 설명하시오?

○ 기름오염방지설비, 분뇨오염방지설비, 유해액체물질방지설비, 대기오염방지설비등이 있음

1) 기름오염방지설비 : 선저폐수저장탱크, 기름여과장치, 배출관장치, 유성찌꺼기탱크, 선저폐수농도경보장치

2) 분뇨오염방지설비 : 분뇨처리장치, 분뇨마쇄소독장치, 분뇨저장탱크
 * 총톤수 400톤 이상선박, 승선원 16명 이상 선박

3) 유해액체물질오염방지설비 : 스트리핑장치, 예비세정장치, 수면하배출장치, 통풍세정장치 등

4) 대기오염방지설비 : 오존층파괴물질 배출 방지설비, 질소산화물 배출 저감설비, 황산화물 배출 저감설비, 휘발성유기화합물 배출 방지설비, 소각기 등

□ STOPIA 협정에 대해 설명하시오?

○ 2005년에 국제그룹과 1992년 국제기금 간에 체결한 STOPIA는 1992년 민사책임협약상 소형유조선의 유류오염 손해배상책임한도액을 인상하는 협정이다.

○ 29,548톤 이하의 소형선박에 의해 유류오염사고가 발생하면, 「1992년 민사책임협약」상 선박소유자의 손해배상책임을 현행 협약상 한도액과 달리 일

률적으로 2천만 SDR까지 인상한다는 것이다.

* 정식명칭은 "소형유조선 유류오염손해배상협정"(Small Tanker Oil Pollution Indemnification Agreement)

○ 이 협정의 적용으로 현행 국제 유류오염 손해보상 제도를 유지하면서 「2003년 추가기금협약」의 제정으로 인한 화주의 추가 부담 중 일부를 선박소유자가 부담하게 되어 선박소유자와 화주 간의 책임부담의 불균형이 해소될 수 있다.

○ 한편 이 협정 체결로 선박소유자와 하주 간의 책임부담의 불균형을 해소하기 위한 차원에서 주장되었던 2천톤 미만의 유조선에 대한 보험강제가입 제안은 설득력이 없어졌다.

○ STOPIA는 「2003년 추가기금협약」이 국제적으로 발효한 2005년 3월부터 시행되었다. 그런데 2006년 2월 국제그룹은 STOPIA 적용대상을 2003년 추가기금협약 체약국뿐만 아니라 1992년 기금협약 체약국으로 확대하는 것을 주요내용으로 하는 이른바 「2006년 STOPIA」를 제안하였고, 국제그룹과 1992년 국제기금협약 간에 합의로 2006년 2월20일부터 시행되고 있다.

□ TOPIA 협정에 대해 설명하시오?

○ TOPIA는 「2003년 추가기금협약」의 제정에 따른 화주의 잠재적인 추가 부담을 인정하고, 그러한 추가 부담을 선박관련자들에게 동등하게 분배함으로써 이를 완화하기 위해 고안된 것이다.

* 정식명칭은 "유조선 유류오염 손해 배상협정"(TOPIA: Tanker Oil Pollution Indemnification Agreement, 이하 'TOPIA'라 한다)이다.

○ 이 협정은 「2003년 추가기금협약」에 따라 2003년 추가기금이 피해자에게 보상하는 금액의 50%를 선박소유자와 국제그룹이 2003년 추가기금에게 보상한다는 것이다.

○ 이 협정은 국제그룹 회원국인 P&I 클럽의 유류오염손해보상보험에 가입한 유조선 선박소유자 간에는 법률적으로 구속력이 있도록 만들어 졌다. 거의 모든 경우에 이러한 선박은 보험증서의 조건에 의해 자동적으로 이 제도에 가입하게 된다. 2003년 추가기금은 이 협정의 당사자는 아니다.

□ OPRC협약에 대해 설명하시오?

○ 유류오염의 대비, 대응 및 협력에 관한 국제협약(International Convention on Oil Pollution Preparedness, Response and Cooperation)을 말한다.

○ 대형 유류오염사고에 대처하기 위하여 범국가적 유류오염대비체제의 구축과 아울러 인접국가 상호간에 대형 유류오염사고에 대비한 협력체제의 구축을 위해 채택되었다.

○ 유류오염긴급계획의 수립, 유류오염사고 통보절차의 수립, 국제협력, 방제기술연구 및 개발, 기술협력, 다자간 협력체제 구축, 방제비용 상환 및 면제 등이 주요내용이다.

○ 우리나라는 「해양환경관리법」에서 협약의 주요내용을 수용하고 있다.

□ 유류오염손해배상법의 제정 목적은?

○ 유조선 등의 선박으로부터 유출 또는 배출된 유류에 의하여 유류오염사고가 발생한 경우에 선박소유자의 책임을 명확히 하고, 유류오염손해의 배상을 보장하는 제도를 확립함으로써 피해자를 보호하고 선박에 의한 해상운송의 건전한 발전을 도모함을 목적으로 한다.

□ 국제기금협약(92FC)상 유류오염손해 보상청구권의 행사기간은?

○ 손해가 발생한 날로부터 3년이내, 유류오염사고가 발생한 날로부터 6년이내

□ 유류오염손해배상보장법과 관련된 협약을 모두 설명하시오?

○ 92년 유류오염손해에 대한 민사책임에 관한 국제협약(92 CLC)

○ 92년 유류오염손해 보상을 위한 국제기금의 설치에 관한 국제협약(92 FC)

○ 92년 유류오염손해 보상을 위한 국제기금의 설치에 관한 국제협약의 2003년 의정서(2003 SFP)

○ 01년 선박 연료유 오염손해에 대한 민사책임에 관한 국제협약(01 Bunker Convention)

□ 수산업의 종류를 설명하시오?

○ "수산업"이란 어업 · 양식업 · 어획물운반업 및 수산물가공업을 말한다.

1) 어업 : 수산동식물을 포획 · 채취하는 사업과 염전에서 바닷물을 자연 증발

시켜 소금을 생산하는 사업을 말한다.

2) 양식업 : 「양식산업발전법」 제2조제2호에 따라 수산동식물을 양식하는 사업

* 2019. 8. 27.에 수산업법을 개정, 「양식산업발전법」이 새로 제정

3) 어획물운반업 : 어업현장에서 양륙지(揚陸地)까지 어획물이나 그 제품을 운반하는 사업

4) 수산물가공업 : 수산동식물을 직접 원료 또는 재료로 하여 식료 · 사료 · 비료 · 호료(糊料)* · 유지(油脂) 또는 가죽을 제조하거나 가공하는 사업

* 호료 : 가공식품에 점성을 주기 위하여 사용하는 식품첨가물. 젤리, 드레싱, 케첩, 마요네즈 등에 사용된다.

□ 수산업법상 어업을 구분설명 하시오?

○ (면허어업) 정치망어업, 마을어업

○ (허가어업) 근해어업, 연안어업(시도지사), 구획어업(시군구청장)

○ (신고어업) 나잠어업, 맨손어법

※ 「양식산업발전법」상 면허어업 : 해조류양식어업, 패류양식어업, 어류등양식어업, 복합양식어업, 협동양식어업, 외해양식어업